# 延世韩国语1

## 活用练习

［韩］延世大学韩国语学堂　编著

世界图书出版公司

北京·广州·上海·西安

**图书在版编目（CIP）数据**

延世韩国语 1 活用练习 / 延世大学韩国语学堂编著 . — 北京：世界图书出版公司北京公司，2014.6
（2024.1重印）

ISBN 978-7-5100-7812-5

Ⅰ . ①新… Ⅱ . ①延… Ⅲ . ①朝鲜语—习题集 Ⅳ . ① H55-44

中国版本图书馆 CIP 数据核字 (2014) 第 070654 号

书　　名　延世韩国语 1 活用练习
　　　　　YANSHI HANGUOYU 1 HUOYONG LIANXI

编 著 者　[ 韩 ] 延世大学韩国语学堂
执 笔 者　[ 韩 ] 金美玉　[ 韩 ] 金秀美　[ 韩 ] 苏之英　[ 韩 ] 尹贞南
译　　者　姚世超
责任编辑　乔　伟

出版发行　世界图书出版有限公司北京分公司
地　　址　北京市东城区朝内大街 137 号
邮　　编　100010
电　　话　010-64038355（发行）　64037380（客服）　64033507（总编室）
网　　址　http://www.wpcbj.com.cn
邮　　箱　wpcbjst@vip.163.com
销　　售　新华书店
印　　刷　三河市国英印务有限公司
开　　本　787 mm × 1092 mm　1/16
印　　张　19.25
字　　数　398 千字
版　　次　2014 年 6 月第 1 版
印　　次　2024 年 1 月第20次印刷
版权登记　01-2014-0207
国际书号　ISBN 978-7-5100-7812-5
定　　价　49.00 元（含 MP3 一张）

## 일러두기

- '연세 한국어 1 활용연습'은 총 10과로 이루어져 있으며, 각 과는 5개의 항으로 구성되어 있다. 10과 중 처음 1과1항부터 4항까지에는 주교재 본문 베껴쓰기 연습을 넣어 한글 자모를 배운 후 한글 쓰기에 익숙해 지도록 하였다.

- 각 과는 5개의 항으로 구성되어 있는데 1항부터 4항까지는 어휘, 문법 연습으로 구성되어 교재에 나온 어휘와 문법을 연습하도록 되어 있다. 5항은 한 과의 전체 내용을 총 정리하고 복습하는 내용으로 되어 있으며, 어휘와 문법 복습과 듣기 연습, 읽기 연습, 말하기 연습 등으로 구성되어 있다. 말하기 연습은 과마다 2개씩 넣었는데, 첫 번째 연습은 주제와 관련된 말하기 연습, 두 번째 연습은 문법 활용에 관련된 말하기 연습이며 첫 번째 말하기 연습에는 보기에서 모범 발화 예문을 제시하여 학생들의 이해와 연습을 돕고자 하였다.

- 학생들의 흥미를 끌고자 각 과의 중간 중간에는 단어 찾기 게임, 수수께끼, 노래 배우기, 띠 이야기, 숨은 그림 찾기 등 다양하고 흥미로운 내용으로 5개의 쉼터를 넣었다.

- 5과가 끝날 때마다 복습 문제를 넣어 배운 내용을 정리할 수 있도록 하였다.

- 문법 연습에는 문형에 필요한 품사들을 명기하였는데 명사는 N, 동사의 어간은 AVst, 형용사의 어간은 DVst로 표기하여 학생들의 이해를 돕고자 하였다.

- 학생들의 이해를 돕고자 각 연습 문제의 1번에는 정답을 써주어 보기와 같은 역할을 할 수 있도록 하였다.

- 책의 뒷부분에는 교재에 실린 듣기 연습 부분의 지문과 정답을 실어 학생들이 스스로 정답을 확인하고 공부하는데 도움이 되도록 하였다.

# 凡例

- 《延世韩国语 1 活用练习》分为10课内容，每课由5个小节组成。其中在第1课第1节至第4节加入了教材课文的抄写练习，使学生在学会韩文字母后强化对韩文书写的熟练程度。

- 每课分为5个小节，第1节至第4节为词汇、语法练习，目的在于练习教材中出现的词汇和语法。第5节是对这一课整体内容的整理和复习，由词汇和语法复习以及听力练习、阅读练习、口语练习等组成。每课有2个口语练习，第一个练习是关于主题的练习，第二个练习是关于语法活用的练习；为帮助学生理解并进行练习，在第一个口语练习中提供了范文。

- 为激发学习兴趣，在每课中间都会穿插找单词小游戏、猜谜、学唱歌、生肖故事、寻找隐藏图片等形式多样、趣味十足的5处"小憩之地"。

- 每学完5课内容，就有一套复习题，以帮助学生对所学内容进行整理。

- 为帮助学生理解，语法练习中都明确标出了句型所需单词的词性，名词为N，动词词干为AVst，形容词词干为DVst。

- 各练习题的第1题都给出了正确答案作为示例，起到举例说明的作用，帮助学生理解。

- 书的最后给出了听力练习部分的原文和习题答案，以帮助学生自学时确认正确答案。

（本书所有地图均使用国家测绘地理信息局标准地图的示意图）

# 차례

# 한글 연습

모음
연습 1

**1.** 쓰십시오. ( 书写练习。)

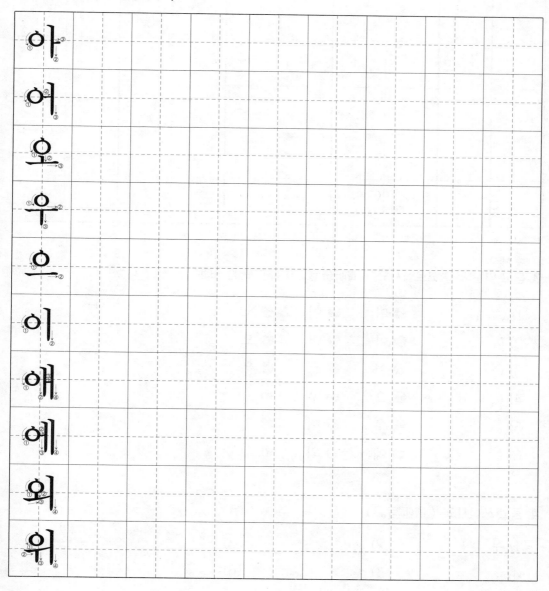

**2.** 다음 단어를 읽고 쓰십시오. (请读写以下单词。)

| 이 | 위 | 아 | 이 | 오 | 이 | 아 | 우 | 우 | 애 |
|---|---|---|---|---|---|---|---|---|---|
| | | | | | | | | | |
| | | | | | | | | | |
| | | | | | | | | | |
| | | | | | | | | | |
| | | | | | | | | | |
| | | | | | | | | | |
| | | | | | | | | | |

🔊 MP3: 1

**3.** 듣고 맞는 것을 고르십시오. (请听录音，选择正确的一项。)

1) ( **1** ) ❶ 아 ❷ 어 ❸ 오

2) ( ) ❶ 아 ❷ 어 ❸ 오

3) ( ) ❶ 어 ❷ 오 ❸ 우

4) ( ) ❶ 오 ❷ 우 ❸ 으

5) ( ) ❶ 우 ❷ 이 ❸ 위

6) ( ) ❶ 에 ❷ 외 ❸ 위

🔊 MP3: 2

**4.** 듣고 쓰십시오. (请听写。)

1) 우          2)          3)

4)          5)          6)

자음
연습 1

**1-1.** 쓰십시오. ( 书写练习。 )

| | ㅏ | ㅓ | ㅗ | ㅜ | ㅡ | ㅣ | ㅐ | ㅔ | ㅚ | ㅟ |
|---|---|---|---|---|---|---|---|---|---|---|
| ㄱ | 가 | 거 | 고 | 구 | 그 | 기 | 개 | 게 | 괴 | 귀 |
| | | | | | | | | | | |
| ㄴ | 나 | 너 | 노 | 누 | 느 | 니 | 내 | 네 | 뇌 | 뉘 |
| | | | | | | | | | | |
| ㄷ | 다 | 더 | 도 | 두 | 드 | 디 | 대 | 데 | 되 | 뒤 |
| | | | | | | | | | | |
| ㄹ | 라 | 러 | 로 | 루 | 르 | 리 | 래 | 레 | 뢰 | 뤼 |
| | | | | | | | | | | |

| | ㅏ | ㅓ | ㅗ | ㅜ | ㅡ | ㅣ | ㅐ | ㅔ | ㅚ | ㅟ |
|---|---|---|---|---|---|---|---|---|---|---|
| ㅁ | 마 | 머 | 모 | 무 | 므 | 미 | 매 | 메 | 뫼 | 뮈 |
| | | | | | | | | | | |
| ㅂ | 바 | 버 | 보 | 부 | 브 | 비 | 배 | 베 | 뵈 | 뷔 |
| | | | | | | | | | | |
| ㅅ | 사 | 서 | 소 | 수 | 스 | 시 | 새 | 세 | 쇠 | 쉬 |
| | | | | | | | | | | |
| ㅇ | 아 | 어 | 오 | 우 | 으 | 이 | 애 | 에 | 외 | 위 |
| | | | | | | | | | | |
| ㅈ | 자 | 저 | 조 | 주 | 즈 | 지 | 재 | 제 | 죄 | 쥐 |
| | | | | | | | | | | |
| | | | | | | | | | | |

| | ㅏ | ㅓ | ㅗ | ㅜ | ㅡ | ㅣ | ㅐ | ㅔ | ㅚ | ㅟ |
|---|---|---|---|---|---|---|---|---|---|---|
| ㅊ | 차 | 처 | 초 | 추 | 츠 | 치 | 채 | 체 | 최 | 취 |
| | | | | | | | | | | |
| | | | | | | | | | | |
| ㅋ | 카 | 커 | 코 | 쿠 | 크 | 키 | 캐 | 케 | 쾨 | 퀴 |
| | | | | | | | | | | |
| | | | | | | | | | | |
| ㅌ | 타 | 터 | 토 | 투 | 트 | 티 | 태 | 테 | 퇴 | 튀 |
| | | | | | | | | | | |
| | | | | | | | | | | |
| ㅍ | 파 | 퍼 | 포 | 푸 | 프 | 피 | 패 | 페 | 푀 | 퓌 |
| | | | | | | | | | | |
| | | | | | | | | | | |
| ㅎ | 하 | 허 | 호 | 후 | 흐 | 히 | 해 | 혜 | 회 | 휘 |
| | | | | | | | | | | |
| | | | | | | | | | | |

**2.** 다음 단어를 읽고 쓰십시오. ( 请读写以下单词。)

| 가 | 구 | 고 | 기 | 노 | 래 | 다 | 리 | 기 | 러 | 기 |
|---|---|---|---|---|---|---|---|---|---|---|
|   |   |   |   |   |   |   |   |   |   |   |
|   |   |   |   |   |   |   |   |   |   |   |
| 도 | 구 | 매 | 우 | 바 | 다 | 비 | 누 | 라 | 디 | 오 |
|   |   |   |   |   |   |   |   |   |   |   |
|   |   |   |   |   |   |   |   |   |   |   |
| 서 | 로 | 쉬 | 다 | 어 | 느 | 지 | 도 | 어 | 머 | 니 |
|   |   |   |   |   |   |   |   |   |   |   |
|   |   |   |   |   |   |   |   |   |   |   |
| 치 | 마 | 커 | 피 | 타 | 다 | 포 | 도 | 타 | 자 | 기 |
|   |   |   |   |   |   |   |   |   |   |   |
|   |   |   |   |   |   |   |   |   |   |   |
| 회 | 사 | 차 | 이 | 피 | 리 | 코 | 트 | 코 | 코 | 아 |
|   |   |   |   |   |   |   |   |   |   |   |
|   |   |   |   |   |   |   |   |   |   |   |

**3.** 듣고 소리가 같으면 O, 다르면 X표 하십시오. ( 请听录音，相同的画○，不同的画×。)

1) 노 (  **X**  )　　　2) 더 (　　　)

3) 자 (　　　)　　　4) 미 (　　　)

5) 후 (　　　)　　　6) 귀 (　　　)

**4.** 듣고 맞는 것을 고르십시오. ( 请听录音，选择正确的一项。)

1) (  **3**  )　　❶ 가　　　❷ 나　　　❸ 다

2) (　　)　　❶ 누　　　❷ 루　　　❸ 무

3) (　　)　　❶ 니　　　❷ 시　　　❸ 지

4) (　　)　　❶ 초　　　❷ 코　　　❸ 포

5) (　　)　　❶ 서　　　❷ 저　　　❸ 처

6) (　　)　　❶ 키　　　❷ 티　　　❸ 피

7) (　　)　　❶ 나리　　❷ 다리　　❸ 라리

8) (　　)　　❶ 가기　　❷ 거기　　❸ 고기

9) (　　)　　❶ 사다　　❷ 차다　　❸ 하다

10) (　　)　　❶ 호사　　❷ 회사　　❸ 휘사

**5.** 듣고 쓰십시오. ( 请听写。)

1) 너　　　2)　　　3)　　　4)　　　5)

6)　　　7)　　　8)　　　9)　　　10)

**1.** 쓰십시오. ( 书写练习。 )

| 야 | | | | | | | | |
|---|---|---|---|---|---|---|---|---|
| 여 | | | | | | | | |
| 요 | | | | | | | | |
| 유 | | | | | | | | |
| 애 | | | | | | | | |
| 예 | | | | | | | | |
| 와 | | | | | | | | |
| 왜 | | | | | | | | |
| 위 | | | | | | | | |
| 웨 | | | | | | | | |
| 의 | | | | | | | | |

**2.** 다음 단어를 읽고 쓰십시오. ( 请读写以下单词。 )

| 여 | 유 | 애 | 기 | 세 | 계 | 과 | 자 | 배 | 워 | 요 |
|---|---|---|---|---|---|---|---|---|---|---|
| | | | | | | | | | | |
| 예 | 의 | 돼 | 지 | 의 | 자 | 무 | 늬 | 웨 | 이 | 터 |
| | | | | | | | | | | |

**1.** 쓰십시오. ( 书写练习。 )

|  | ㅏ | ㅓ | ㅗ | ㅜ | ㅡ | ㅣ | ㅐ | ㅔ | ㅚ | ㅟ |
|---|---|---|---|---|---|---|---|---|---|---|
| ㄲ | 까 |  |  |  |  |  |  |  |  |  |
|  |  |  |  |  |  |  |  |  |  |  |
| ㄸ |  |  | 또 |  |  |  |  |  |  |  |
|  |  |  |  |  |  |  |  |  |  |  |
| ㅃ |  |  |  |  | 쁘 |  |  |  |  |  |
|  |  |  |  |  |  |  |  |  |  |  |
| ㅆ |  |  |  |  |  | 씨 |  |  |  |  |
|  |  |  |  |  |  |  |  |  |  |  |
| ㅉ |  |  |  |  |  |  |  |  | 쬐 |  |
|  |  |  |  |  |  |  |  |  |  |  |

**2.** 다음 단어를 쓰고 읽으십시오. ( 请书写并朗读以下单词。 )

| 까 | 치 | 따 | 다 | 뿌 | 리 | 싸 | 다 | 빠 | 르 | 다 |
|---|---|---|---|---|---|---|---|---|---|---|
|  |  |  |  |  |  |  |  |  |  |  |
| 가 | 짜 | 아 | 빠 | 꼬 | 리 | 뽀 | 뽀 | 아 | 저 | 씨 |
|  |  |  |  |  |  |  |  |  |  |  |

**3.** 듣고 소리가 같으면 O, 다르면 X표 하십시오. ( 请听录音，相同的画○，不同的画×。)

1) 까 (   **O**   )       2) 띠 (       )

3) 뽀 (       )       4) 쑤 (       )

5) 쯔 (       )       6) 야 (       )

7) 좌 (       )       8) 궈 (       )

**4.** 듣고 맞는 것을 고르십시오. ( 请听录音，选择正确的一项。)

1) (   **3**   )      ❶ 다      ❷ 타      ❸ 따

2) (      )      ❶ 시      ❷ 씨      ❸ 치

3) (      )      ❶ 겨      ❷ 교      ❸ 규

4) (      )      ❶ 이      ❷ 위      ❸ 의

5) (      )      ❶ 어      ❷ 에      ❸ 예

6) (      )      ❶ 가치      ❷ 카치      ❸ 까치

7) (      )      ❶ 자다      ❷ 차다      ❸ 짜다

8) (      )      ❶ 부리      ❷ 푸리      ❸ 뿌리

9) (      )      ❶ 사가      ❷ 사과      ❸ 사궈

10) (      )      ❶ 이사      ❷ 위사      ❸ 의사

**5.** 듣고 쓰십시오. ( 请听写。)

1) 빠           2)           3)

4)           5)           6)

**1.** 쓰십시오. ( 书写练习。)

| 악 | | | | | | | | | |
|---|---|---|---|---|---|---|---|---|---|
| 안 | | | | | | | | | |
| 앋 | | | | | | | | | |
| 알 | | | | | | | | | |
| 암 | | | | | | | | | |
| 압 | | | | | | | | | |
| 앗 | | | | | | | | | |
| 앙 | | | | | | | | | |
| 앚 | | | | | | | | | |
| 앛 | | | | | | | | | |
| 앜 | | | | | | | | | |
| 앝 | | | | | | | | | |
| 앞 | | | | | | | | | |
| 앟 | | | | | | | | | |

**2.** 쓰십시오. (书写练习。)

| 학 | 교 | 낚 | 시 | 부 | 엌 | 눈 | 물 | 듣 | 다 |
|---|---|---|---|---|---|---|---|---|---|
|  |  |  |  |  |  |  |  |  |  |
|  |  |  |  |  |  |  |  |  |  |

| 필 | 통 | 감 | 자 | 수 | 업 | 무 | 릎 | 옷 | 장 |
|---|---|---|---|---|---|---|---|---|---|
|  |  |  |  |  |  |  |  |  |  |
|  |  |  |  |  |  |  |  |  |  |

| 있 | 다 | 낮 | 잠 | 꽃 | 병 | 햇 | 볕 | 히 | 읗 |
|---|---|---|---|---|---|---|---|---|---|
|  |  |  |  |  |  |  |  |  |  |
|  |  |  |  |  |  |  |  |  |  |

🔊 MP3: 9

**3.** 듣고 맞는 것을 고르십시오. (请听录音，选择正确的一项。)

1) ( **3** )  ❶ 간    ❷ 감    ❸ 강

2) (    )  ❶ 문    ❷ 물    ❸ 뭄

3) (    )  ❶ 독    ❷ 돋    ❸ 돕

4) (    )  ❶ 점    ❷ 접    ❸ 정

5) (    )  ❶ 식다  ❷ 싣다  ❸ 싫다

6) (    )  ❶ 전신  ❷ 정신  ❸ 점심

🔊 MP3: 10

**4.** 듣고 쓰십시오. (请听写。)

1) 김          2)              3)

4)              5)              6)

받침
연습 2

**1.** 쓰십시오. ( 书写练习。 )

| 몫 | 과 | 몫 | 이 | 앉 | 다 | 앉 | 아 |
|---|---|---|---|---|---|---|---|
| | | | | | | | |
| | | | | | | | |
| 많 | 다 | 많 | 아 | 읽 | 다 | 읽 | 어 |
| | | | | | | | |
| | | | | | | | |
| 젊 | 다 | 젊 | 어 | 넓 | 다 | 넓 | 어 |
| | | | | | | | |
| | | | | | | | |
| 외 | 곬 | 핥 | 다 | 핥 | 아 | 읊 | 다 |
| | | | | | | | |
| | | | | | | | |
| 잃 | 다 | 잃 | 어 | 없 | 다 | 없 | 어 |
| | | | | | | | |
| | | | | | | | |

## 1과 1항

| 안 | 녕 | 하 | 십 | 니 | 까 | ? | | | |
|---|---|---|---|---|---|---|---|---|---|
| | | | | | | | | | |
| | | | | | | | | | |
| | | | | | | | | | |
| 네 | , | | 안 | 녕 | 하 | 십 | 니 | 까 | ? |
| | | | | | | | | | |
| | | | | | | | | | |
| | | | | | | | | | |
| 리 | 에 | 입 | 니 | 다 | . | | | | |
| | | | | | | | | | |
| | | | | | | | | | |
| | | | | | | | | | |
| 저 | 는 | | 웨 | 이 | 입 | 니 | 다 | . | |
| | | | | | | | | | |
| | | | | | | | | | |
| | | | | | | | | | |
| | | | | | | | | | |

**1.** 다음 그림을 보고 빈칸을 채우십시오. ( 请看图填空。)

① 

이 름

② 

친 ☐

③ 

☐ 생

④ 

☐ ☐ 님

## 문법

### N 입니다

**2.** 다음 단어로 문장을 만드십시오. ( 请用以下单词造句。)

① 학생      ➜ 학생입니다 _____ .

② 남자      ➜ _____ .

③ 이영수    ➜ _____ .

④ 제 친구    ➜ _____ .

⑤ 선생님    ➜ _____ .

⑥ 연세대학교 ➜ _____ .

**3.** 다음 그림을 보고 문장을 만드십시오. ( 请看图造句。 )

① 서울타워입니다.

②

③

④

| N 은/는 |
|---|

**4.** 다음을 한 문장으로 만드십시오. ( 请用所给的词组成一个句子。 )

❶ 제 이름 / 김영수입니다.　　　➜ 제 이름은 김영수입니다 ____ .

❷ 마리아 씨 / 제 친구입니다.　　➜ _____ .

❸ 저 / 샤오밍입니다.　　　　　　➜ _____ .

❹ 선생님 / 여자입니다.　　　　　➜ _____ .

❺ 제 친구 / 영어 선생님입니다.　➜ _____ .

**5.** 다음 [보기]와 같이 자기소개를 쓰십시오. ( 请仿照例子写一下自我介绍。 )

> [보기] 안녕하십니까?
>
> 저는 와타나베 리사입니다.
>
> 저는 연세대학교 한국어학당 학생입니다.

........................................................................................

........................................................................................

........................................................................................

어느 나라 사람입니까?

미국 사람입니다.

리에 씨는 중국 사람입니까?

아니요, 저는 일본 사람입니다.

아, 그렇습니까?

**1.** 다음 지도를 보고 [보기]에서 나라 이름을 골라 쓰십시오. ( 请看地图填写相应的国家名称。 )

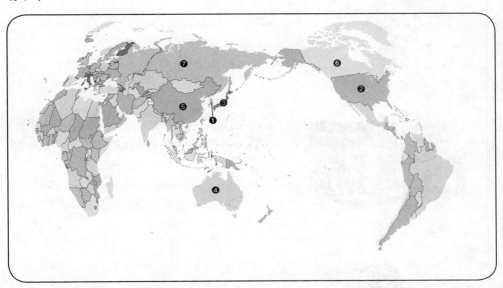

| [보기] | 한국 | 미국 | 일본 | 호주 | 중국 | 캐나다 | 러시아 |
|--------|------|------|------|------|------|--------|--------|

❶ 한국           ❷ _____           ❸ _____           ❹ _____

❺ _____           ❻ _____           ❼ _____

**2.** 다음 그림을 보고 대화를 완성하십시오. ( 请看图完成对话。 )

❶

가: 어느 나라 사람입니까?

나: 이집트 사람입니다.

**②**

가: 어느 나라 사람입니까?

나: ................................................ .

**③**

가: 어느 나라 사람입니까?

나: ................................................ .

**④**

가: 어느 나라 사람입니까?

나: ................................................ .

**⑤**

가: ................................................ ?

나: ................................................ .

**⑥**

가: ................................................ ?

나: ................................................ .

## N 입니까?

**3.** 다음을 바꿔 쓰십시오. ( 请改写下列句子。 )

① 학생입니다.　　　➡ 학생입니까 _____ ?

② 선생님입니다.　　➡ _____ ?

③ 친구입니다.　　　➡ _____ ?

④ 서울입니다.　　　➡ _____ ?

⑤ 호주 사람입니다.　➡ _____ ?

⑥ 유정민 씨입니다.　➡ _____ ?

**4.** 다음 그림을 보고 대화를 완성하십시오. ( 请看图完成对话。 )

가: 미국 사람입니까?

나: 아니요, 중국 사람입니다.

가: 여자입니까?

나: _____ .

❸

가: 한국입니까?

나: ................................................................. .

❹

가: ................................................. ?

나: 네, 나지원 씨입니다.

❺

가: ................................................. ?

나: 아니요, 학생입니다.

❻

가: ................................................. ?

나: 네, ................................................. .

회사원입니까?

아니요, 회사원이 아닙니다.

그럼 학생입니까?

네, 대학생입니다.

YONSEI KOREAN 1 WORKBOOK

**1.** 다음 그림과 단어를 연결하십시오. ( 请将下面的图片和对应的单词用线连接起来。 )

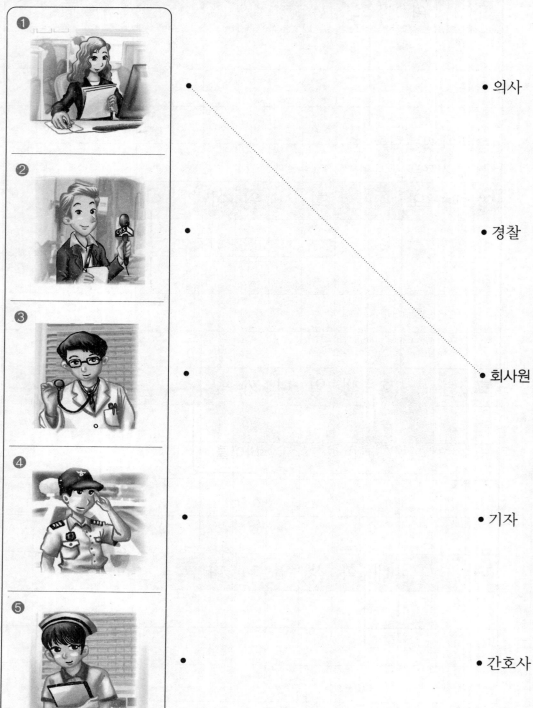

### N 이/가 아니다

2. ( ) 안에 알맞은 조사를 쓰십시오. ( 请在 ( ) 内填写适当的助词。 )

❶ 학생( 이 ) 아닙니다.

❷ 의사( ) 아닙니다.

❸ 저는 나오코( ) 아닙니다.

❹ 리에 씨는 한국 사람( ) 아닙니다.

❺ 제 친구는 회사원( ) 아닙니다.

❻ 우리 선생님은 여자( ) 아닙니다. 남자입니다.

3. 다음 그림을 보고 문장을 쓰십시오. ( 请看图完成下列句子。 )

마이클

| ❶ | 영화배우 | 가수 |
|---|---|---|

저는 가수입니다 .

저는 영화배우가 아닙니다 .

| ❷ | 마이클 | 제임스 |
|---|---|---|

저는 .

저는 .

| ❸ | 남자 | 여자 |
|---|---|---|

저는 .

저는 .

| ❹ | 중국 사람 | 미국 사람 |
|---|---|---|

저는 .

저는 .

YONSEI KOREAN 1 WORKBOOK

**4.** 다음 그림을 보고 대화를 완성하십시오. ( 请看图完成对话。 )

① **오정희**

가: 미선 씨입니까?

나: 아니요, <u>미선 씨가 아닙니다. 정희 씨입니다.</u>

② 

가: 선생님입니까?

나: 아니요, _____.

③ 

가: 의사입니까?

나: 아니요, _____.

④ **신촌 · 한강**

가: 부산입니까?

나: 아니요, _____.

⑤ 

가: 오렌지입니까?

나: _____.

⑥ 

가: _____?

나: _____.

누 구 입 니 까 ?

제   친 구   김 영 수 입 니 다 .

처 음   뵙 겠 습 니 다 .

김 미 선 입 니 다 .

안 녕 하 십 니 까 ?   반 갑 습 니 다 .

**1.** 다음 그림을 보고 [보기]에서 단어를 골라 번호를 쓰십시오. （请看图选择适当的单词,将对应的序号填入括号内。）

[보기]  ❶ 가다  ❷ 입다  ❸ 읽다  ❹ 만나다  ❺ 인사하다  ❻ 가르치다

( ❷ )　　　　( )　　　　( )

( )　　　　( )　　　　( )

| Vst 습니다/ㅂ니다 | Vst 습니까?/ㅂ니까? |

**2.** 다음 표를 완성하십시오. ( 请完成下面表格。 )

| | Vst 습니다 | Vst 습니까? |
|---|---|---|
| 먹다 | 먹습니다 | |
| 읽다 | | |
| 입다 | | |
| 듣다 | | 듣습니까? |
| 찾다 | | |
| 닫다 | | |
| 앉다 | | |

| | Vst ㅂ니다 | Vst ㅂ니까? |
|---|---|---|
| 가다 | 갑니다 | |
| 오다 | | |
| 자다 | | |
| 쓰다 | | |
| 보다 | | 봅니까? |
| 사다 | | |
| 쉬다 | | |
| 마시다 | | |
| 만나다 | | |
| 일하다 | | |
| 가르치다 | | |
| 인사하다 | | |
| 공부하다 | | |
| 노래하다 | | |

**3.** 다음 그림을 보고 대화를 완성하십시오. ( 请看图完成对话。 )

① 가: 먹습니까?
　나: 아니요, 잡니다 _____.

② 가: 일합니까?
　나: 네, _____.

③ 가: 앉습니까?
　나: 아니요, _____.

④ 가: 읽습니까?
　나: _____.

⑤ 가: _____?
　나: 네, 가르칩니다.

⑥ 가: _____?
　나: _____.

# 1과 5항

## 어휘와 문법

**1.** 다음 [보기]에서 알맞은 단어를 골라 (　　　) 안에 쓰십시오. ( 请选择适当的单词填入 (　) 内。)

[보기]　　영국　　　　이름　　　　의사　　　　간호사　　　　여자 친구

처음 뵙겠습니다.

제 (　이름　)은/는 타이거 잭슨입니다.

저는 (　　　　) 사람입니다.

저는 학생이 아닙니다. (　　　　)입니다.

이 사람은 제 (　　　　)입니다. (　　　　)입니다.

YONSEI KOREAN 1 WORKBOOK

제1과 인사 **35**

**2.** 다음 그림을 보고 [보기]에서 알맞은 인사말을 골라 쓰십시오. (请看图选择适当的问候语。)

[보기]　안녕하십니까?　　　　안녕히 가십시오.　　　　안녕히 계십시오.
　　　　안녕히 주무십시오.　　처음 뵙겠습니다.　　　어서 오십시오.

❶

안녕히 가십시오.

❷

❸

❹

❺

❻

**3.** 다음 [보기]에서 알맞은 조사를 골라 (　　　)안에 쓰십시오. ( 请选择适当的助词填入 （ ）内。)

> [보기] 은/는　　　이/가

안녕하십니까? 제 이름(　은　) 최세호입니다. 일본에서 왔습니다.

저(　　　) 일본 사람(　　　) 아닙니다. 한국 사람입니다.

저(　　　) 학생(　　　) 아닙니다. 회사원입니다.

날마다 열심히 일합니다.

**4.** 다음 그림을 보고 대답하십시오. ( 请看图回答问题。)

❶ 가 : 일본 사람입니까?

　　나 : 아니요, 일본 사람이 아닙니다. 한국 사람입니다.

❷ 가 : 학생입니까?

　　나 : _____ .

❸ 가 : 김영수입니까?

　　나 : _____ .

❹ 가 : 먹습니까?

　　나 : _____ .

❺ 가 : 읽습니까?

　　나 : _____ .

**5.** 다음 문장을 듣고 그림과 같으면 O, 다르면 X표 하십시오. (请听录音，判断正误。正确的画○，错误的画×。)

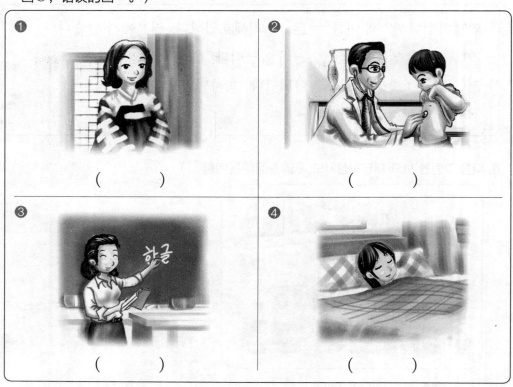

❶ (    )

❷ (    )

❸ (    )

❹ (    )

**6.** 다음 이야기를 듣고 대답하십시오. (请听录音，回答问题。)

1)

| 이름 | 어느 나라 사람입니까? |
|---|---|
| 샤오밍 | |
| 이사벨 | |
| 마리 | |
| 후엔 | |

2) 들은 내용과 같으면 O, 다르면 X표 하십시오. (与所听到的内容一致请画○，不一致请画×。)

❶ 샤오밍 씨는 지금 학생입니다.　　　　(　　　　)

❷ 이사벨 씨는 경찰입니다.　　　　(　　　　)

❸ 마리 씨 고향은 치바입니다.　　　　(　　　　)

❹ 후엔 씨는 간호사입니다.　　　　(　　　　)

**7.** 다음 글을 읽고 질문에 대답하십시오. ( 请阅读下文，回答问题。)

> 처음 뵙겠습니다.
>
> 저는 스티브입니다.
>
> 미국 샌프란시스코에서 왔습니다.
>
> 버클리대학교 학생입니다.
>
> 날마다 열심히 공부합니다.
>
> 많이 배웁니다.

위 글의 내용과 같으면 O, 다르면 X표 하십시오. ( 与上文内容一致请画○，不一致请画×。)

❶ 이 사람 이름은 스티브입니다.                    (          )

❷ 이 사람은 중국 사람입니다.                      (          )

❸ 이 사람은 대학생입니다.                         (          )

❹ 이 사람은 날마다 열심히 일합니다.              (          )

**8.** 다음 그림을 보고 [보기]에서 알맞은 문장을 골라 질문하십시오. ( 请看图选择适当的句子进行提问。 )

[보기]
❶ 일본 어디에서 왔습니까?
❷ 어느 나라 사람입니까?
❸ 안녕하십니까?
❹ 이름이 무엇입니까?
❺ 직업이 무엇입니까?

가: _____❸_____?

나: 네, 안녕하십니까? 반갑습니다.

가: _____?

나: 준코입니다.

가: _____?

나: 일본 사람입니다.

가 _____?

나: 저는 도쿄에서 왔습니다.

가: _____?

나: 가수입니다.

위와 같이 친구들에게 질문하고 다음 표를 완성하십시오. ( 请仿照上面的形式, 问问自己的朋友们，然后填写表格。 )

| 친구 이름 | 국적 | 고향 | 직업 |
|---|---|---|---|
| ❶ 준코 | 일본 | 도쿄 | 가수 |
| ❷ | | | |
| ❸ | | | |
| ❹ | | | |
| ❺ | | | |

**9.** 다음 그림을 보고 [보기]와 같이 자기소개를 하십시오. ( 请根据图片仿照例子做一下自我介绍。 )

[보기]
안녕하십니까?
처음 뵙겠습니다.
저는 요시다 리에입니다.
저는 일본 사람입니다.
저는 학생이 아닙니다. 은행원입니다.
열심히 일합니다.

여러분을 소개하십시오. ( 请大家也做一下自我介绍。 )

## 2과 1항

### 어휘

**1.** 다음 그림을 보고 맞는 것을 고르십시오. ( 请看图选择适当的单词。 )

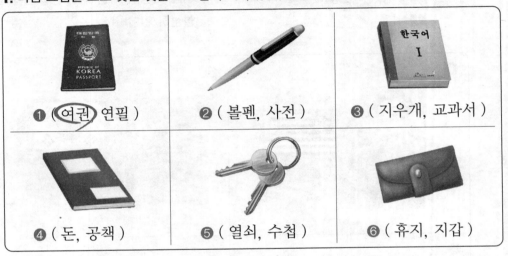

❶ ( 여권, 연필 )  ❷ ( 볼펜, 사전 )  ❸ ( 지우개, 교과서 )

❹ ( 돈, 공책 )  ❺ ( 열쇠, 수첩 )  ❻ ( 휴지, 지갑 )

**2.** 다음 그림을 보고 대화를 완성하십시오. ( 请看图完成对话。 )

❶ 가: 신분증입니까?　　　　　❷ 가: 읽기책입니까?

　　나: 아니요, **모자입니다**　　.　　나: 네, _____.

❸ 가: 필통입니까?　　　　　　❹ 가: 손수건입니까?

　　나: 아니요, _____.　　나: 네, _____.

❺ 가: 무엇입니까?　　　　　　❻ 가: 무엇입니까?

　　나: _____.　　나: _____.

## 문법

### N 이/가

**3.** (　　)안에 알맞은 조사를 쓰십시오. ( 请在 (　) 内填写适当的助词。)

❶ 그 책(　이　) 읽기책입니다.

❷ 친구(　　　) 대학생입니다.

❸ 웨이 씨(　　　) 중국 사람입니다.

❹ 학생(　　　) 공부합니다.

❺ 가수(　　　) 노래합니다.

❻ 은행원(　　　) 인사합니다.

**4.** 다음을 한 문장으로 만드십시오. ( 请用所给的词组成一个句子。)

❶ 경찰관 / 오다　　　　➡ 경찰관이 옵니다.

❷ 회사원 / 일하다　　　➡ _____

❸ 미선 씨 / 쉬다　　　➡ _____

❹ 이것 / 사전이다　　　➡ _____

❺ 친구 / 기자이다　　　➡ _____

❻ 저 / 미국 사람이다　➡ _____

## 이, 그, 저

**5.** 다음 그림을 보고 대화를 완성하십시오. (请看图完成对话。)

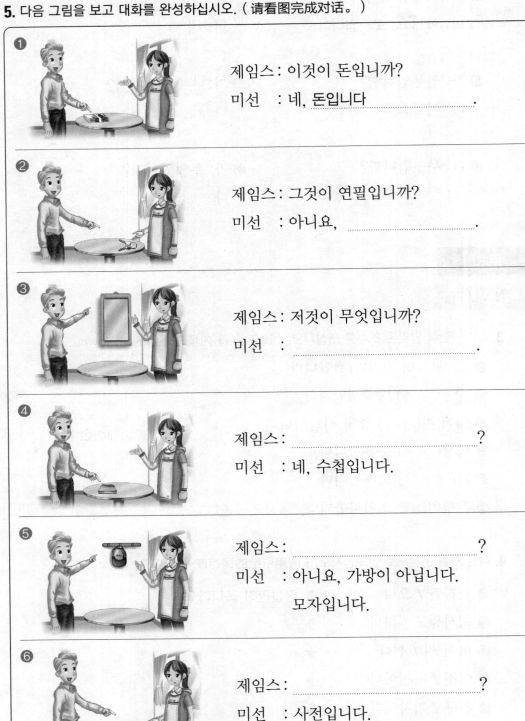

① 제임스: 이것이 돈입니까?

　　미선　: 네, 돈입니다_____.

② 제임스: 그것이 연필입니까?

　　미선　: 아니요, _____.

③ 제임스: 저것이 무엇입니까?

　　미선　: _____.

④ 제임스: _____?

　　미선　: 네, 수첩입니다.

⑤ 제임스: _____?

　　미선　: 아니요, 가방이 아닙니다.

　　　　　　모자입니다.

⑥ 제임스: _____?

　　미선　: 사전입니다.

**1.** 다음 그림을 보고 단어가 그림에 있으면 O, 없으면 X표 하십시오. ( 请看图判断，图中 出现的画○，未出现的画× 。)

❶ 지도 ( X )     ❷ 칠판 ( )     ❸ 의자 ( )

❹ 그림 ( )     ❺ 창문 ( )     ❻ 텔레비전 ( )

**2.** 반대말을 연결하고 대화를 완성하십시오. ( 请将下面表示相反意思的词用线连接起 来，并完成对话。)

많다 •               • 작다

크다 •               • 나쁘다

좋다 •               • 적다

YONSEI KOREAN 1 WORKBOOK

❶ 가 : 책이 많습니까?

　　나 : 네, <u>책이 많습니다</u>　　　　　　　.

❷ 가 : 돈이 많습니까?

　　나 : 아니요, ┄┄┄┄┄┄┄┄┄┄.

❸ 가 : 텔레비전이 큽니까?

　　나 : 네, ┄┄┄┄┄┄┄┄┄┄┄┄.

❹ 가 : 지우개가 큽니까?

　　나 : 아니요, ┄┄┄┄┄┄┄┄┄┄.

❺ 가 : 연세대학교가 좋습니까?

　　나 : 네, ┄┄┄┄┄┄┄┄┄┄┄┄.

❻ 가 : 날씨가 좋습니까?

　　나 : 아니요, ┄┄┄┄┄┄┄┄┄┄.

## 문법

### N 도

**3.** 다음 문장을 완성하십시오. ( 请完成下列句子。 )

❶ 저는 한국 사람입니다. 미선 씨도 <u>한국 사람입니다</u>┄┄┄.

❷ 이것이 의자입니다. 저것 ┄┄┄┄┄┄┄┄┄┄┄.

❸ 친구가 공부합니다. 저 ┄┄┄┄┄┄┄┄┄┄┄┄.

❹ 선생님이 인사합니다. 학생들 ┄┄┄┄┄┄┄┄┄┄.

❺ 칠판이 큽니다. 지도 ┄┄┄┄┄┄┄┄┄┄┄┄┄.

❻ 책이 많습니다. 볼펜 ┄┄┄┄┄┄┄┄┄┄┄┄┄.

**4.** 다음 대화를 완성하십시오. (请完成下列对话。)

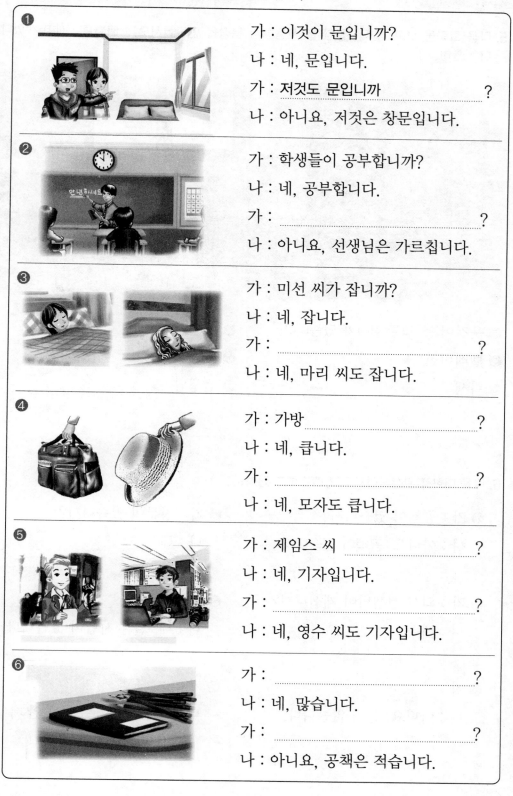

❶
가 : 이것이 문입니까?
나 : 네, 문입니다.
가 : **저것도 문입니까** ?
나 : 아니요, 저것은 창문입니다.

❷
가 : 학생들이 공부합니까?
나 : 네, 공부합니다.
가 : _____?
나 : 아니요, 선생님은 가르칩니다.

❸
가 : 미선 씨가 잡니까?
나 : 네, 잡니다.
가 : _____?
나 : 네, 마리 씨도 잡니다.

❹
가 : 가방 _____?
나 : 네, 큽니다.
가 : _____?
나 : 네, 모자도 큽니다.

❺
가 : 제임스 씨 _____?
나 : 네, 기자입니다.
가 : _____?
나 : 네, 영수 씨도 기자입니다.

❻
가 : _____?
나 : 네, 많습니다.
가 : _____?
나 : 아니요, 공책은 적습니다.

Y O N S E I   K O R E A N   1   W O R K B O O K

## 있다, 없다

**5.** 다음 그림을 보고 '있다, 없다'를 사용해서 문장을 만드십시오. (请看图，使用"있다, 없다"造句。)

**①** 옷걸이 ➡ 옷걸이가 없습니다.　　　**②** 책상 ➡ ...............................

**③** 텔레비전 ➡ ...............................　　　**④** 의자 ➡ ...............................

**⑤** 학생 ➡ ...............................　　　**⑥** 선생님 ➡ ...............................

**6.** 다음 대화를 완성하십시오. (请完成下列对话。)

**①** 가 : 공책이 있습니까?

　　나 : 아니요, 공책이 없습니다　　　.

**②** 가 : 창문이 있습니까?

　　나 : 네, ...............................

**③** 가 : 의사 선생님이 계십니까?

　　나 : 네, ...............................

**④** 가 : ...............................?

　　나 : 네, 일본 사람이 있습니다.

**⑤** 가 : ...............................?

　　나 : 아니요, 돈이 없습니다.

**⑥** 가 : ...............................?

　　나 : 아니요, 김 교수님이 안 계십니다.

어휘

**1.** 다음 그림을 보고 빈칸을 채우십시오. ( 请看图填空。)

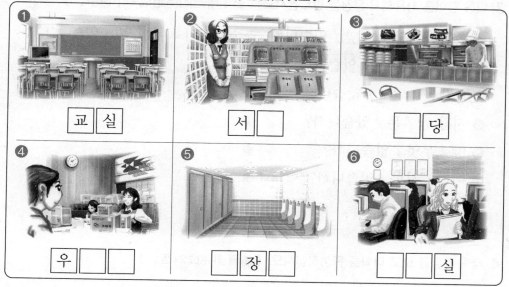

① 교 실

② 서 □

③ □ 당

④ 우 □ □

⑤ □ 장 □

⑥ □ □ 실

**2.** 다음 그림을 보고 ( )안에 알맞은 단어를 쓰십시오. ( 请看图，在 ( ) 内填写适当 的单词。)

① 책상 ( 앞 )   ② 책상 ( )   ③ 책상 ( )

④ 책상 ( )   ⑤ 책상 ( )   ⑥ 책상 ( )

### N 에

**3.** 다음 단어를 사용해서 문장을 만드십시오. (请用所给的词组成一个句子。)

❶ 화장실 / 사무실 옆 / 있습니다. ➜ 화장실이 사무실 옆에 있습니다.

❷ 교실 안 / 학생 / 없습니다. ➜ _____

❸ 학생들 / 의자 / 앉습니다. ➜ _____

❹ 지갑 안 / 돈 / 있습니까? ➜ _____

❺ 방 / 무엇 / 없습니까? ➜ _____

❻ 어디 / 전화 / 있습니까? ➜ _____

**4.** 다음 그림을 보고 대화를 완성하십시오. (请看图完成对话。)

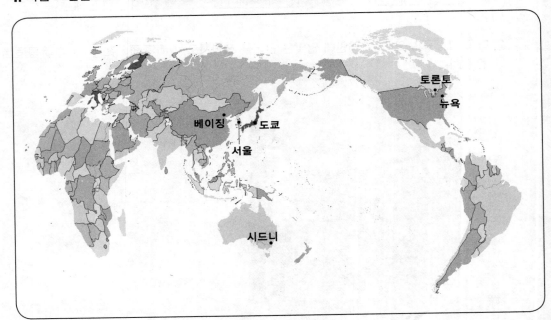

❶ 가 : 도쿄가 한국에 있습니까?

　　나 : 아니요, 일본에 있습니다 _____ .

❷가 : 베이징이 중국에 있습니까?

　　나 : 네, ................................................ .

❸가 : 시드니가 캐나다에 있습니까?

　　나 : 아니요, ................................................ .

❹가 : 뉴욕이 어디에 있습니까?

　　나 : ................................................ .

❺가 : ................................................ ?

　　나 : 네, 한국에 있습니다.

❻가 : ................................................ ?

　　나 : 캐나다에 있습니다.

## 어휘

**1.** 다음 그림을 보고 [보기]에서 알맞은 단어를 골라 쓰십시오. (请看图，选择适当的单词填空。)

| [보기] | 백화점 | 회사 | 병원 | 극장 | 시장 | 가게 |

❶ 회사

❷

❸

❹

❺

❻

**2.** 다음 그림을 보고 대화를 완성하십시오. (请看图完成对话。)

**❶** 가 : 경찰관이 어디에 있습니까?

　　나 : 공원 앞에 있습니다 _____ .

**❷** 가 : 여자가 어디에 있습니까?

　　나 : _____ .

**❸** 가 : 차가 어디에 있습니까?

　　나 : _____ .

**❹** 가 : _____ ?

　　나 : 극장 옆에 있습니다.

**❺** 가 : _____ ?

　　나 : 가게 밖에 있습니다.

**❻** 가 : _____ ?

　　나 : _____ .

## 문법

### N하고 N

**3.** 다음을 한 문장으로 만드십시오. ( 请将两句话连成一句。 )

**❶** 연필이 있습니다. 볼펜도 있습니다.　　➡ 연필하고 볼펜이 있습니다.

**❷** 침대가 없습니다. 냉장고도 없습니다.　➡ _____

**❸** 박 선생님이 계십니다. 김 선생님도 계십니다. ➡ _____

**❹** 공책이 많습니다. 연필도 많습니다.　　➡ _____

**❺** 러시아가 큽니다. 캐나다도 큽니다.　　➡ _____

**❻** 친구가 공부합니다. 저도 공부합니다.　➡ _____

**4.** 다음 대화를 완성하십시오. ( 请完成下列对话。)

**❶ 가** : 잠실에 무엇이 있습니까? (롯데 백화점 / 극장)

　**나** : <u>롯데 백화점하고 극장이 있습니다</u>　　　　　　　　　.

**❷ 가** : 신촌에 무엇이 있습니까? (연세대학교 / 병원)

　**나** : _____.

**❸ 가** : 방에 무엇이 있습니까? (침대 / 텔레비전)

　**나** : _____.

**❹ 가** : 교실에 누가 있습니까? (선생님 / 학생)

　**나** : _____.

**❺ 가** : 가게에 무엇이 많습니까?

　**나** : _____.

**❻ 가** : 교실에 무엇이 많습니까?

　**나** : _____.

**5.** 여러분이 사는 집 근처를 그리고 [보기]처럼 쓰십시오. ( 请试着画一画你家附近的地图，并仿照例子写一写。)

> [보기]　우리 집은 신촌에 있습니다.
>
> 　　　우리 집 근처에는 극장하고 백화점이 있습니다.
>
> 　　　극장 옆에 약국이 있습니다.
>
> 　　　백화점 뒤에 공원이 있습니다.
>
> 　　　신촌에는 버스 정류장이 많습니다.
>
> 　　　가게하고 식당도 많습니다.

우리 집은

**어휘와 문법**

**1.** 관계있는 단어를 연결하십시오. ( 请把相关的词用线连接起来。 )

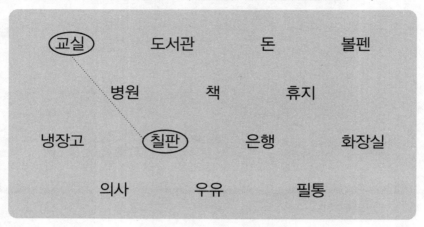

| 교실 | 도서관 | 돈 | 볼펜 |
| 병원 | 책 | 휴지 | |
| 냉장고 | 칠판 | 은행 | 화장실 |
| 의사 | 우유 | 필통 | |

**2.** 다음 질문을 읽고 있으면 O, 없으면 X표 하십시오. ( 请读以下问题，有的请画○，没有的请画×。)

1) 여러분의 교실에 무엇이 있습니까? ( 教室里有什么？ )

| 분필 | 지도 | 달력 | 거울 | 책상 |
| --- | --- | --- | --- | --- |
| ○ | | | | |

2) 여러분의 방에 무엇이 있습니까? ( 你的房间里有什么？ )

| 그림 | 텔레비전 | 의자 | 창문 | 옷걸이 |
| --- | --- | --- | --- | --- |
| | | | | |

3) 여러분의 가방 안에 무엇이 있습니까? ( 你的包里有什么？ )

| 지갑 | 열쇠 | 사전 | 여권 | 손수건 |
| --- | --- | --- | --- | --- |
| | | | | |

4) 여러분의 집 근처에 무엇이 있습니까? ( 你家附近有什么？ )

| 극장 | 병원 | 약국 | 식당 | 시장 |
| --- | --- | --- | --- | --- |
| | | | | |

**3.** [보기]에서 알맞은 조사를 골라 쓰십시오. ( 请选择适当的助词填空。)

| [보기] | 이/가 | 은/는 | 도 | 에 | 하고 |
|---|---|---|---|---|---|

❶ 교회( 가 ) 있습니다. 커피숍( 도 ) 있습니다.

❷ 연필( ) 많습니다. 공책( ) 많습니다.

❸ 책상 위( ) 사전( ) 없습니다.

❹ 백화점( ) 서울( ) 많습니다.

❺ 친구( ) 제가 공부합니다.

❻ 저( ) 미국 사람( ) 아닙니다. 영국 사람입니다.

**4.** 다음 그림을 보고 대화를 완성하십시오. ( 请看图完成对话。)

제임스 : 이것이 열쇠입니까?

미선 　 : ❶ 네, 그렇습니다　　　　　　　.

제임스 : 그럼, 그것은 무엇입니까?

미선 　 : ❷ 　　　　　　　　　　　　.

제임스 : 방에 거울이 있습니까?

미선 　 : ❸ 　　　　　　　　　　.

제임스 : ❹ 　　　　　　　　　？

미선 　 : 아니요, 달력은 없습니다.

제이스 : 책상 위에 무엇이 있습니까?

미선 　 : ❺ 　　　　　　　　　　.

제임스 : ❻ 　　　　　　　　　？

미선 　 : 책상 옆에 있습니다.

**5.** 다음 이야기를 읽고 맞는 것을 고르십시오. ( 请阅读下文，选择正确答案。 )

저는 츠베토바 안드레이( 입니다, 있습니다 ). 러시아 사람( 입니다, 있습니다 ). 부모님이 ( 있습니다, 계십니다 ). 저는 대학생( 입니다, 있습니다 ). 학교 이름이 모스크바 대학교( 입니다, 있습니다 ). 학생이 ( 많습니다, 큽니다 ). 중국 학생이 ( 입니다, 있습니다 ). 한국 학생도 ( 입니다, 있습니다 ). 중국 학생이 ( 많습니다, 큽니다 ). 한국 학생도 ( 많습니다, 적습니다 ). 저는 중국 친구가 ( 입니다, 있습니다 ). 친구 이름이 왕 신빙( 입니다, 있습니다 ). 남자( 입니다, 있습니다 ). 저는 한국 친구는 ( 있습니다, 없습니다).

**6.** 다음 대화를 듣고 맞는 그림을 고르십시오. ( 请听录音，选择正确的图片。 )

1) (　　　　)

2) (　　　　)

3) (　　　　)

**7.** 다음 이야기를 듣고 그림에서 물건의 번호를 찾아 쓰십시오. ( 请听录音，在图片中找出物品的序号填入横线处。 )

 1) ⑥ ……………

 2) ……………

 3) ……………

 4) ……………

 5) ……………

 6) ……………

**8.** 다음 글을 읽고 아래 문장에서 <u>틀린</u> 부분을 고치십시오. ( 请阅读下文，改正错误的部分。)

> 마리아 씨하고 미선 씨는 친구입니다. 마리아 씨는 러시아 사람이고 미선 씨는 한국 사람입니다. 마리아 씨하고 미선 씨는 연세대학교 학생입니다.
> ----------------
> 마리아 : 미선 씨는 집이 어디입니까?
> 미선　　: 잠실입니다. 마리아 씨는 집이 어디입니까?
> 마리아 : 신촌입니다. 미선 씨 집 근처에 무엇이 있습니까?
> 미선　　: 롯데월드하고 백화점이 있습니다.
> 마리아 : 공원도 있습니까?
> 미선　　: 네, 공원이 있습니다.
> 마리아 : 대학교도 있습니까?
> 미선　　: 아니요, 대학교는 없습니다.

❶ 마리아 씨는 미국사람입니다.

　➡ <u>마리아 씨는 러시아 사람입니다</u> .

❷ 미선 씨는 연세대학교 선생님입니다.

　➡ _____ .

❸ 마리아 씨 집은 잠실에 있습니다.

　➡ _____ .

❹ 미선 씨 집 근처에 대학교가 있습니다.

　➡ _____ .

❺ 신촌에 롯데월드하고 백화점이 있습니다.

　➡ _____ .

**9.** 다음 질문을 사용해서 친구에게 [보기]와 같이 질문하고 '있다, 없다'에 O표 하십시오. ( 请使用以下问句向同伴提问，并用○画出 "있다,없다" 。 )

[보기]

가 : 방에 침대가 있습니까?

나 : 네, 있습니다.

가 : 책상도 있습니까?

나 : 아니요, 없습니다.

[질문]

.............. 이/가 있습니까?

.............. 은/는 있습니까?

.............. 도 있습니까?

.............. 도 없습니까?

| 질문 | | 친구 1 ( ) | | 친구 2 ( ) | | 친구 3 ( ) | |
|---|---|---|---|---|---|---|---|
| | 물건 | 있다 | 없다 | 있다 | 없다 | 있다 | 없다 |
| 방 | 책상 | ○ | | | | | |
| | 컴퓨터 | | ○ | | | | |
| | 거울 | | | | | | |
| | 침대 | | | | | | |
| | 달력 | | | | | | |
| 가방 | 필통 | | | | | | |
| | 과자 | | | | | | |
| | 교과서 | | | | | | |
| | 휴지 | | | | | | |
| 지갑 | 카드 | | | | | | |
| | 돈 | | | | | | |
| | 신분증 | | | | | | |
| 학교근처 | 백화점 | | | | | | |
| | 은행 | | | | | | |
| | 우체국 | | | | | | |
| | 공원 | | | | | | |

YONSEI KOREAN 1 WORKBOOK

**10.** 다음 표의 질문으로 친구들과 이야기 하십시오. ( 请用下表给出的问句和同伴进行口语问答练习。 )

| 질문 | 친구 1 | 친구 2 |
|---|---|---|
| 1) 집이 어디입니까? | | |
| 2) 집 근처에 무엇이 있습니까? | | |
| 3) 집 근처에 ............도 있습니까?<br>(은행, 병원, 서점……) | | |
| 4) ............이/가 어디에 있습니까?<br>(은행, 병원, 서점……) | | |
| 5) 이것이 ............입니까?<br>(책, 사전, 연필……) | | |
| 6) 이것/그것/저것은 무엇입니까? | | |

다음 글자판에서 여러분이 아는 단어를 모두 찾으십시오. 방향은 →과 ↓이고 모두 25개의 단어가 있습니다. ( 请在下面字表中找出所有认识的单词。方向为→和↓，共有25个单词。)

| 지 | 두 | 창 | 문 | 아 | 인 | 선 | 생 | 님 | 고 |
|---|---|---|---|---|---|---|---|---|---|
| 옷 | 걸 | 리 | 이 | 지 | 도 | 골 | 러 | 희 | 여 |
| 라 | 오 | 문 | 름 | 갑 | 길 | 우 | 체 | 국 | 권 |
| 호 | 주 | 시 | 금 | 저 | 통 | 리 | 산 | 주 | 스 |
| 비 | 탕 | 학 | 교 | 다 | 신 | 멋 | 거 | 숙 | 저 |
| 사 | 람 | 조 | 실 | 개 | 문 | 크 | 아 | 라 | 넌 |
| 전 | 허 | 익 | 고 | 처 | 백 | 화 | 점 | 붐 | 의 |
| 안 | 거 | 교 | 한 | 국 | 요 | 장 | 시 | 기 | 자 |
| 가 | 울 | 회 | 사 | 원 | 처 | 실 | 달 | 종 | 시 |
| 영 | 필 | 반 | 에 | 저 | 음 | 귀 | 럭 | 위 | 미 |

찾은 단어가 몇 개입니까? ( 请问你找到了几个单词呢? )

☹ 5개 이하　: 더 열심히 공부하십시오.

😐 6 – 10개 : 좋습니다.

🙂 13 – 20개 : 아주 잘 했습니다!

😎 21개 이상 : 단어 왕입니다!

# 제3과 가족과 친구

## 3과 1항

### 어휘

**1.** 관계있는 그림의 번호를 쓰십시오. ( 请写出相关图片的序号。)

1) 일을 합니다.　( ❷ )　　2) 노래를 합니다.　( 　 )

3) 숙제를 합니다.　( 　 )　　4) 산책을 합니다.　( 　 )

5) 운동을 합니다.　( 　 )　　6) 이야기를 합니다.　( 　 )

**2.** 다음 달력을 보고 [보기]에서 알맞은 단어를 골라 ( 　 ) 안에 쓰십시오. ( 请看日历，选择适当的单词写在 ( ) 内。)

| 일요일 | 월요일 | 화요일 | 수요일 | 목요일 | 금요일 | 토요일 |
| --- | --- | --- | --- | --- | --- | --- |
|  |  |  |  | **1** 한국말 /회사 | **2** 한국말 /회사 | **3** 영화 |
| **4** 운동 | **5** 한국말 /회사 | **6** 한국말 회사/**영화** | **7** 한국말 회사/**산책** | **8** 한국말 회사/**운동** | **9** 한국말 회사/**영화** | **10** 미선씨와 만남 |
| **11** 운동 | **12** 한국말 회사/**운동** | **13** 한국말 /회사 | **14** 한국말 회사/**영화** | **15** 한국말 회사/**운동** | **16** 한국말 /회사 | **17** 영화 |
| **18** | **19** 한국말 회사/**영화** | **20** 한국말 회사/**운동** | **21** 한국말 회사/**영화** | **22** 한국말 회사/미선씨와 만남 | **23** 한국말 회사/**산책** | **24** 운동 |

존슨 씨는 ( 날마다 ) 일을 합니다. 그리고 (　　　 ) 한국말을 공부합니다.

존슨 씨는 영화하고 운동을 좋아합니다. 그래서 영화를 (　　　 ) 봅니다.

운동도 (　　　 ) 합니다. 존슨 씨는 (　　　 ) 미선 씨를 만납니다.

산책도 (　　　 ) 합니다.

## 문법

### N 을/를

**3.** (　　 )안에 알맞은 조사를 쓰십시오. ( 请在 (　 ) 内填写适当的助词。)

　❶ 저는 운동( 을 ) 합니다.

　❷ 학생들이 교과서(　　 ) 읽습니다.

　❸ 마이클 씨는 라디오(　　 ) 듣습니다.

　❹ 여자가 거울(　　 ) 봅니다.

　❺ 한국 사람은 김치(　　 ) 좋아합니다.

　❻ 미선 씨하고 리에 씨가 산책(　　 ) 합니다.

**4.** 관계있는 단어를 연결하고 문장으로 쓰십시오. ( 请将相关的单词用线连接起来，并组成一个句子。)

　❶ 친구 •　　　　　　　• 읽다　➡ 신문을 읽습니다　　　　　　　.

　❷ 신문 •　　　　　　　• 입다　➡ _____.

　❸ 갈비 •　　　　　　　• 쓰다　➡ _____.

　❹ 옷 •　　　　　　　• 만나다　➡ _____.

　❺ 한글 •　　　　　　　• 마시다　➡ _____.

　❻ 우유 •　　　　　　　• 먹다　➡ _____.

**5.** 다음 대화를 완성하십시오. ( 请完成下列对话。)

① 가 : 무엇을 읽습니까?

　 나 : 잡지를 읽습니다_____.

② 가 : 무엇을 마십니까?

　 나 : _____.

③ 톰 크루즈

　 가 : 누구를 좋아합니까?

　 나 : _____.

④ 가 : 무엇을 합니까?

　 나 : _____.

⑤ 가 : _____?

　 나 : 영어를 가르칩니다.

⑥ 가 : _____?

　 나 : 친구를 만납니다.

어휘

**1.** 다음 표를 완성하십시오. ( 请完成下面表格。 )

| 1 | 2 | 3 | 4 | 5 | 6 | 7 | 8 | 9 | 10 |
|---|---|---|---|---|---|---|---|---|---|
| 하나 | | | | | | 일곱 | | | |
| | | | 네 권 | | | | | | 열 권 |

**2.** 다음 그림을 보고 대화를 완성하십시오. ( 请看图完成对话。 )

❶

가 : 모자가 몇 개 있습니까?

나 : 세 개 있습니다 _____ .

❷

가 : 공책이 몇 권 있습니까?

나 : _____ .

❸

가 : 교실에 학생이 몇 명 있습니까?

나 : _____ .

❹

가 : _____ ?

나 : 사과가 일곱 개 있습니다.

❺

가 : _____ ?

나 : _____ .

**3.** 다음 그림을 보고 알맞은 단어를 쓰십시오. ( 请看图填写适当的单词。 )

**1** 할아버지     **2** ....................     **3** ....................     **4** ....................

**5** ....................     **6** ....................     **7** ....................

## 문법

### -으시/시-

**4.** 다음 문장을 바꿔 쓰십시오. ( 请改写下列句子。 )

**1** 친구가 책을 읽습니다.    ➜   아버지께서 책을 읽으십니다.    (아버지)

**2** 제가 일합니다.    ➜   ....................    (어머니)

**3** 샤오밍 씨가 앉습니다.    ➜   ....................    (선생님)

**4** 동생이 병원에 있습니다.    ➜   ....................    (할머니)

**5** 언니가 말합니다.    ➜   ....................    (교수님)

**6** 형이 김치를 먹습니다.    ➜   ....................    (할아버지)

**5.** 다음 그림을 보고 대화를 완성하십시오. ( 请看图完成对话。 )

❶ 가 : 아버지께서 무엇을 하십니까?

　나 : 아버지께서 텔레비전을 보십니다 .

❷ 가 : 할아버지께서 무엇을 하십니까?

　나 : _____ .

❸ 가 : _____ ?

　나 : 할머니께서 신문을 읽으십니다.

❹ 가 : _____ ?

　나 : 형이 음악을 듣습니다.

❺ 가 : _____ ?

　나 : _____ .

**6.** 다음 이야기를 읽고 맞는 것을 고르십시오. ( 请阅读下文，选择正确答案。 )

안녕하십니까? 제 이름은 마이클 ( 입니다 , 이십니다 ).

우리 부모님은 미국에 ( 있습니다 , 계십니다 ).

우리 어머니께서는 한국 사람( 입니다 , 이십니다 ).

저는 지금 한국 할머니( 집 , 댁 )에 ( 있습니다 , 계십니다 ).

저는 한국 친구가 ( 많습니다 , 많으십니다 ).

부모님도 한국 친구가 ( 많습니다 , 많으십니다 ).

그분들을 자주 ( 만납니다 , 만나십니다 ).

저는 부모님을 ( 사랑합니다 , 사랑하십니다 ).

부모님께서도 저를 ( 사랑합니다 , 사랑하십니다 ).

### 어휘

**1.** 다음 단어와 관계있는 단어를 쓰십시오. ( 请填写与以下单词相关的词。)

❶ 넓다　　：　　바다　，　러시아　，　연세대학교

❷ 덥다　　：　　　　　　，　　　　　　，

❸ 예쁘다　：　　　　　　，　　　　　　，

❹ 복잡하다 ：　　　　　　，　　　　　　，

❺ 조용하다 ：　　　　　　，　　　　　　，

❻ 시원하다 ：　　　　　　，　　　　　　，

**2.** 다음 그림을 보고 [보기]에서 알맞은 단어를 골라 밑줄에 쓰십시오. ( 请看图，选择适当的单词填入横线处。)

[보기]

많다　　　　춥다

맛있다　　　시끄럽다

깨끗하다　　재미있다

오늘은 날씨가 <u>춥습니다</u> 습니다/ㅂ니다.

여기는 제 하숙집 방입니다. 제 방은 　　　　　습니다/ㅂ니다.

지금 방에 사람이 　　　　　습니다/ㅂ니다.

우리는 파티를 합니다.

록 음악을 듣습니다. 록 음악이 　　　　　습니다/ㅂ니다.

우리는 음식을 먹습니다. 음식이 　　　　　습니다/ㅂ니다.

우리는 이야기도 많이 합니다. 파티는 　　　　　습니다/ㅂ니다.

## Vst 고

**3.** 관계있는 문장을 연결하고 한 문장으로 만드십시오. ( 请把相关的句子连接起来，并组成一 个句子。)

| | |
|---|---|
| ❶ 여자 친구가 예쁩니다. • | • 시끄럽습니다. |
| ❷ 식당이 복잡합니다. • | • 더럽습니다. |
| ❸ 방이 좁습니다. • | • 친절합니다. |
| ❹ 이 분은 의사입니다. • | • 동생은 주스를 마십니다. |
| ❺ 서울은 한국에 있습니다. • | • 저 분은 간호사입니다. |
| ❻ 저는 밥을 먹습니다. • | • 런던은 영국에 있습니다. |

❶ 여자 친구가 예쁘고 친절합니다                                    .

❷ _____ .

❸ _____ .

❹ _____ .

❺ _____ .

❻ _____ .

**4.** 다음 문장을 완성하십시오. ( 请完成下列句子。)

❶ 백화점이 크고 좋습니다                                          .

❷ 친구가 친절하고 _____ .

❸ 연세대학교가 _____ 고 _____ .

❹ 우리 선생님이 _____ 고 _____ .

❺ 가: 냉면이 어떻습니까?

　 나: _____ 고 _____ .

❻ 가: 동대문시장이 어떻습니까?

　 나: _____ 고 _____ .

### 어휘

**1.** 다음 [보기]에서 알맞은 단어를 골라 쓰십시오. ( 请选择适当的单词。)

[보기]  의학  법학  영문학  생물학  역사학  경영학  정치학  컴퓨터공학

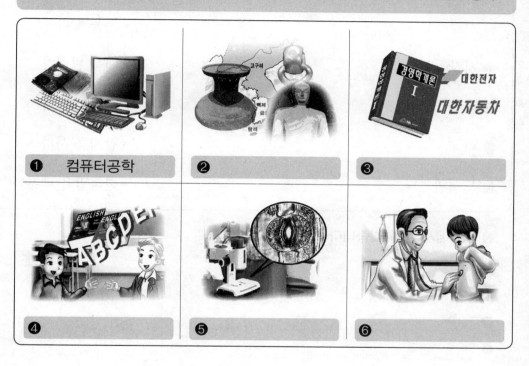

❶ 컴퓨터공학    ❷    ❸
❹    ❺    ❻

**2.** 다음 (        ) 안에 알맞은 단어를 쓰십시오. ( 请用适当的单词填空。)

❶ 제 전공은 ( 러시아 문학 )입니다. 저는 러시아어 선생님입니다.

❷ 승호 씨는 변호사입니다. (                )이/가 전공입니다.

❸ 우리 형 전공은 (                )입니다. 지금 회사 사장님입니다.

❹ 피터 씨는 (                )을/를 전공합니다. 셰익스피어를 공부합니다.

❺ 우리 아버지는 의사이십니다. 대학교 때 전공이 (                )입니다.

YONSEI KOREAN 1 WORKBOOK

### N 에서

**3.** 관계있는 단어를 연결하고 문장으로 쓰십시오. (请把相关的单词连接起来, 并组成一个句子。)

❶ 은행 • ·생선을 사다

❷ 서점 • ·돈을 찾다

❸ 시장 • ·책을 빌리다

❹ 극장 • ·영화를 보다

❺ 학교 • ·잡지를 사다

❻ 도서관 • ·한국말을 배우다

❶ 은행에서 돈을 찾습니다 .

❷ .

❸ .

❹ .

❺ .

❻ .

**4.** 다음 대화를 완성하십시오. (请完成下列对话。)

❶

| 맥도날드 | 학생 식당 | 레스토랑 |
|---|---|---|

가 : 어디에서 점심을 먹습니까?

나 : 학생 식당에서 먹습니다 .

❷

| 공원 | 친구집 | 커피숍 |
|---|---|---|

가 : 어디에서 친구를 만납니까?

나 : .

❸ | 남대문시장 | 현대백화점 | 이대 앞 |

가 : 어디에서 시계를 삽니까?

나 : _____ .

❹ | 집 | 학교 | 도서관 |

가 : _____ ?

나 : 집에서 숙제를 합니다.

❺ | 회사 | 병원 | 은행 |

가 : _____ ?

나 : 은행에서 일을 합니다.

❻ | 집 근처 | 공원 | 운동장 |

가 : _____ ?

나 : _____ .

**5.** 다음 이야기를 읽고 맞는 것을 고르십시오. ( 请阅读下文，选择正确答案。 )

저는 브라질( 에, 에서 ) 왔습니다.

저는 커피를 아주 좋아합니다.

그래서 날마다 커피숍( 에, 에서 ) 커피를 마십니다.

집(에도, 에서도 ) 마십니다.

브라질( 에, 에서 ) 여러 가지 커피가 있습니다.

한국( 에도, 에서도 ) 여러 가지 커피가 있습니다.

# 3과 5항

## 어휘와 문법

**1.** 다음 단어와 관계있는 것을 고르십시오. ( 请选择与以下单词相关的词。)

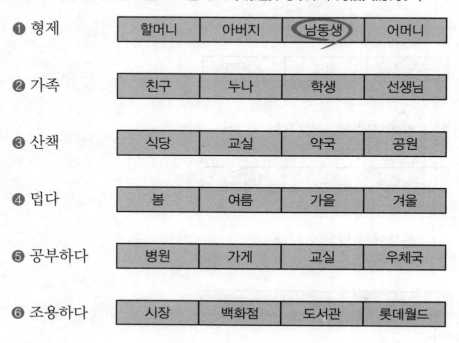

❶ 형제

| 할머니 | 아버지 | 남동생 | 어머니 |

❷ 가족

| 친구 | 누나 | 학생 | 선생님 |

❸ 산책

| 식당 | 교실 | 약국 | 공원 |

❹ 덥다

| 봄 | 여름 | 가을 | 겨울 |

❺ 공부하다

| 병원 | 가게 | 교실 | 우체국 |

❻ 조용하다

| 시장 | 백화점 | 도서관 | 롯데월드 |

**2.** 다음 [보기]에서 알맞은 단어를 골라 (          )안에 쓰십시오. ( 请选择适当的单词填入 (   )内。)

| [보기] 권 명 형제 전공 날마다 많다 예쁘다 재미있다 |

우리 ( 형제 ) 은/는 누나, 남동생, 그리고 저 모두 세 (          )입니다.

우리 누나는 (          )고 공부도 잘 합니다.

누나의 (          )은/는 경영학입니다.

남동생은 운동을 좋아합니다. 그래서 (          ) 운동을 합니다.

저는 영화를 좋아합니다. 그래서 집에 영화 잡지가 (          )습니다/ㅂ니다.

한국 영화 잡지도 다섯 (          ) 있습니다.

영화 잡지는 참 (          )습니다/ㅂ니다.

**3.** 다음 [보기]에서 알맞은 단어를 골라 (     ) 안에 쓰십시오. ( 请选择适当的单词填入 ( ) 内。)

> [보기]  몇   어느   어디   누구   무엇

❶ 가 : (  무엇  )을/ 를 합니까?

　　나 : 숙제를 합니다.

❷ 가 : (          )에서 옷을 삽니까?

　　나 : 동대문시장에서 삽니다.

❸ 가 : 한국 친구가 (          ) 명 있습니까?

　　나 : 두 명 있습니다.

❹ 가 : 전공이 (          )입니까?

　　나 : 컴퓨터공학입니다.

❺ 가 : 이 분이 (          )입니까?

　　나 : 제 여동생입니다. 제 여동생은 친절합니다.

❻ 가 : 남자 친구가 (          ) 나라 사람입니까?

　　나 : 캐나다 사람입니다.

❼ 가 : (          )을/를 사랑합니까?

　　나 : 사치코 씨를 사랑합니다.

**4.** 다음 문장에서 밑줄 친 부분을 알맞게 고치십시오. ( 请改正句中画线的部分。)

❶ 교실에서 학생이 한 명 있습니다.
　　　　에

❷ 저는 책을 넷 권 읽습니다.

YONSEI KOREAN 1 WORKBOOK

❸ 시장에 사람을 많습니다.

❹ 미선 씨는 커피숍에서 친구가 만납니다.

❺ 식당에서 시끄럽고 복잡합니다.

❻ 아버지께서 의자에 앉으습니다.

❼ 누구가 예쁘고 친절합니까?

**5.** 다음 대화를 완성하십시오. ( 请完成下列对话。 )

❶ 가 : 지금 무엇을 합니까?
　 나 : 가족 사진을 봅니다　　　　　　　.

❷ 가 : 가족이 몇 명입니까?
　 나 : 　　　　　　　　　　　　　　.

❸ 가 : 부모님은 어디에 계십니까?
　 나 : 　　　　　　　　　　　　　　.

❹ 가 : 　　　　　　　　　　　　　?
　 나 : 아니요, 한국 영화를 가끔 봅니다.

❺ 가 : 　　　　　　　　　　　　　?
　 나 : 신촌이 복잡하고 시끄럽습니다.

❻ 가 : 　　　　　　　　　　　　　?
　 나 : 집에서 숙제를 합니다.

**6.** 다음 대화를 듣고 그림이 맞으면 O, 틀리면 X표 하십시오. ( 请听录音，判断正误。正确的画○，错误的画×。)

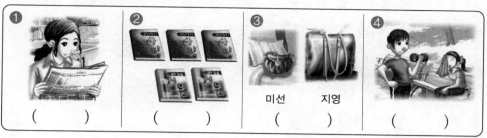

**미선**　　　　**지영**

①　(　　　　) ②　(　　　　) ③　(　　　　) ④　(　　　　)

**7.** 다음 이야기를 듣고 질문에 대답하십시오. ( 请听录音，并回答问题。)

①　②　③　④　⑤　⑥

1) 알맞은 그림을 찾아 번호를 쓰십시오. ( 请填写适当的图片编号。)

아버지 (　　　　)　　　어머니 (　　　　)　　　오빠 (　　　)

언니　 (　　　　)　　　남동생 (　　　　)　　　나 (　　　)

2) 들은 내용과 같으면 O, 다르면 X표 하십시오. ( 与所听内容一致请画○，不一致请画×。)

❶ 아버지는 은행에서 일하십니다.　　　　　　　　(　　　　)

❷ 어머니는 학교 선생님이십니다.　　　　　　　　(　　　　)

❸ 오빠는 키가 작습니다.　　　　　　　　　　　(　　　　)

❹ 언니하고 남동생은 날마다 공부합니다.　　　　(　　　　)

❺ 제 전공은 영문학입니다.　　　　　　　　　　(　　　　)

**8.** 다음 글을 읽고 질문에 대답하십시오. ( 请阅读下文，回答问题。)

> 제 고향은 제주도입니다.
>
> 제주도에는 바다가 있습니다. 산도 있습니다.
>
> 우리 집 앞에 바다가 있습니다.
>
> 저는 날마다 바다를 봅니다.
>
> 제주도는 조용하고 공기도 좋습니다.
>
> 제주도 사람들은 생선을 좋아합니다.
>
> 그래서 생선 요리를 자주 먹습니다.
>
> 생선 요리가 아주 맛있습니다.
>
> 제주도 사람들은 친절합니다.
>
> 저는 제주도를 사랑합니다.

1) 위 글의 내용과 같으면 O, 다르면 X표 하십시오. ( 与以上内容一致请画○，不一致请画×。)

   ❶ 이 사람은 제주도 사람입니다.             (       )

   ❷ 제주도에는 산이 없습니다.               (       )

   ❸ 이 사람 집 앞에 바다가 있습니다.         (       )

   ❹ 제주도는 시끄럽습니다.                  (       )

   ❺ 제주도 사람들은 생선 요리를 날마다 먹습니다.   (       )

   ❻ 제주도 사람들은 친절합니다.              (       )

2) 서울이 어떻습니까? 위 글과 같이 서울을 소개하십시오. ( 首尔怎么样呢? 请仿照上文试着介绍一下首尔。)

> 저는 지금 서울에 있습니다.
>
> 서울에는 _____ 이/가 있습니다. _____ 도 있습니다.
>
> 우리 집 근처에는 _____ 이/가 있습니다.
>
> 저는 _____ 에서 날마다 _____ 을/를 합니다.
>
> 서울은 _____ 고 _____ 습니다/ㅂ니다.
>
> 서울 사람들은 _____ 습니다/ㅂ니다.
>
> 저는 서울을 좋아합니다.

**9.** '-고'를 사용해서 친구들에게 소개하십시오. ( 请使用 "–고" 向朋友做个介绍。 )

어머니     반 친구     선생님

교실     서울     하와이

[보기] 반 친구 마이클 씨는 친절하고 재미있습니다.

**10.** 다음 표의 질문으로 친구들과 이야기하십시오. ( 请用下表给出的问句和同伴进行口语问答练习。 )

| 질문 | 친구 1 | 친구 2 |
| --- | --- | --- |
| 1) 고향이 어디입니까? | | |
| 2) (고향 이름)이/가 어떻습니까? | | |
| 3) (고향 이름)에 무엇이 많습니까? | | |
| 4) 가족이 몇 명입니까? | | |
| 5) 가족이 어디에 있습니까? | | |
| 6) 아버지께서 무엇을 하십니까? | | |
| 7) 한국 친구가 있습니까? | | |
| 8) 그 친구가 무엇을 합니까? | | |
| 9) 그 친구가 어떻습니까? | | |
| 10) 어디에서 친구를 만납니까? | | |

YONSEI KOREAN 1 WORKBOOK

## 4과 1항

### 어휘

**1.** 다음 [보기]에서 알맞은 단어를 골라 (　　　) 안에 쓰십시오. ( 请选择适当的单词填入
　　(　) 内。)

| [보기] | 한식집 | 양식집 | 중국집 | 일식집 |

❶ 제임스 씨와 마리아 씨는 ( 양식집 )에서 스테이크를 먹습니다.

❷ 영수 씨는 불고기를 좋아합니다. 자주 (　　　　)에 갑니다.

❸ 서울에 일본 사람들이 많습니다. (　　　　)도 많습니다.

❹ 웨이 씨는 중국 사람입니다. (　　　　)에서 가끔 중국 음식을 먹습니다.

**2.** 다음은 가게 CCTV에 찍힌 도둑의 모습입니다. 그림을 보고 [보기]에서 단어를 골라 이야
기를 완성하십시오. ( 以下为商店CCTV拍摄的小偷样貌。请看图，选择适当的单词完
成下文。)

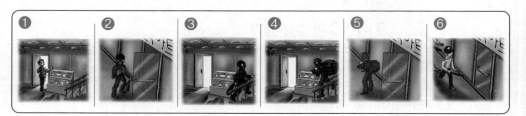

| [보기] | 가다 | 오다 | 나오다 | 들어가다 | 내려오다 | 올라가다 |

❶ 가게 주인이 집에 (　갑니다　). ❷ 도둑이 가게에　(　　　　　).

❸ 도둑이 계단을 (　　　　). ❹ 도둑이 2층에서 (　　　　).

❺ 도둑이 가게에서 (　　　　). ❻ 경찰관들이　　(　　　　).

## N에 가다

**3.** 다음 대화를 완성하십시오. ( 请完成下列对话。 )

가: 학교에 갑니까?

나: 아니요, 집에 갑니다_____.

가: 백화점에 갑니까?

나: 네, _____.

가: 도서관에 갑니까?

나: 아니요, _____.

가: 어디에 갑니까?

나: _____.

가: _____?

나: 네, 병원에 갑니다.

가: _____?

나: 우체국에 갑니다.

**4.** 다음은 마리아 씨의 하루입니다. 그림을 보고 이야기를 완성하십시오. ( 以下为玛利亚的一天。请看图完成下文。 )

| | | |
|---|---|---|
| _____ 에 갑니다. | _____ 에서 | _____ 습니다/ㅂ니다. |

❶ 학교에 갑니다. 학교에서 공부를 합니다 .

❷ _____ .

❸ _____ .

❹ _____ .

❺ _____ .

❻ _____ .

## AVst 을까요 ? / ㄹ까요?

**5.** 다음을 바꿔 쓰십시오. ( 请改写下列句子。 )

❶ 양식을 먹습니다 ➔ 양식을 먹을까요? .

❷ 한국말을 공부합니다 ➔ _____ .

❸ 집에서 쉽니다 ➔ _____ .

❹ 책을 읽습니다 ➔ _____ .

❺ 한식집에 갑니다 ➔ _____ .

❻ 옷을 입습니다 ➔ _____ .

**6.** 다음 그림을 보고 대화를 완성하십시오. ( 请看图完成对话。 )

❶

가 : 피곤합니다.

나 : 쉴까요 _____ ?

❷

가 : 배가 고픕니다.

나 : _____ ?

❸

가 : 날씨가 좋습니다.

나 : _____ ?

❹

가 : 춥습니다.

나 : _____ ?

❺

가 : 옷이 쌉니다.

나 : _____ ?

## AVst 읍시다/ㅂ시다

**7.** 다음을 바꿔 쓰십시오. ( 请改写下列句子。 )

❶ 문을 닫습니다      ➜ 문을 닫읍시다 .

❷ 친구를 만납니다      ➜ _____ .

❸ 가방을 삽니다      ➜ _____ .

❹ 비빔밥을 먹습니다      ➜ _____ .

❺ 노래합니다      ➜ _____ .

❻ 의자에 앉습니다      ➜ _____ .

**8.** 다음은 마리 씨와 요코 씨의 여행 계획입니다. 다음 표를 보고 대화를 완성하십시오. ( 以下是玛丽和洋子的旅行计划。请看下表完成对话。 )

| | |
|---|---|
| 어디에 갑니까? | 전주 |
| 누구하고 같이 갑니까? | 미선 |
| 어디에서 만납니까? | 서울역 |
| 뭘 먹습니까? | 비빔밥 |
| 뭘 합니까? | 한옥을 구경 |

❶ 가 : 전주에 갈까요?

　나 : 네, 전주에 갑시다. ~~읍시다/ㅂ시다.~~

❷ 가 : 미선 씨하고 같이 갈까요?

　나 : 네, _____ 읍시다/ㅂ시다.

❸ 가 : 어디에서 만날까요?

　나 : _____ 읍시다/ㅂ시다.

❹ 가 : _____ 을까요/ㄹ까요?

　나 : _____ 읍시다/ㅂ시다.

❺ 가 : _____ 을까요/ㄹ까요?

　나 : _____ 읍시다/ㅂ시다.

### 어휘

**1.** 다음 그림을 보고 맞는 단어를 고르십시오. ( 请看图选择正确的单词。 )

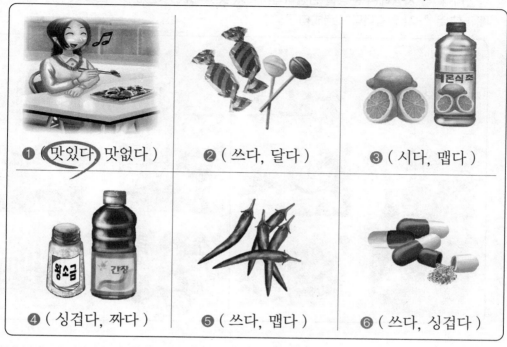

❶ ( 맛있다, 맛없다 )  ❷ ( 쓰다, 달다 )  ❸ ( 시다, 맵다 )

❹ ( 싱겁다, 짜다 )  ❺ ( 쓰다, 맵다 )  ❻ ( 쓰다, 싱겁다 )

**2.** 다음 [보기]에서 알맞은 단어를 골라 (　　　　) 안에 쓰십시오. ( 请选择适当的单词填入
 (　) 內。 )

| [보기] 초밥　　자장면　　스테이크　　달다　　시다　　쓰다　　싱겁다 |

❶ 일식집에서 ( 초밥 )을/를 먹습니다. 간장이 없습니다. 조금 (싱겁습니다).

❷ 사탕이 아주 (　　　　　). 아이가 좋아합니다.

❸ 저는 레몬을 좋아합니다. 레몬이 아주 (　　　　　).

❹ 마리아 씨는 양식을 좋아합니다. (　　　　　)을/를 자주 먹습니다.

❺ 약국에서 약을 먹습니다. 약이 (　　　　　).

❻ 수진 씨는 가끔 중국 식당에 갑니다. (　　　　　)을/를 먹습니다.

## Vst지 않다

**3.** 영수 씨와 민수 씨는 형제입니다. 그렇지만 두 사람은 아주 다릅니다. 다음 그림을 보고 '-지 않습니다' 를 사용해서 문장을 완성하십시오. ( 英秀和民秀是兄弟，但二人十分不同。请看图，使用 "-지 않습니다" 完成句子。 )

| 영수 | 민수 |
|---|---|
| 숙제가 많습니다. | ❶ 숙제가 많지 않습니다. |
| 운동을 좋아합니다. | ❷ |
| ❸ | 고기를 먹습니다. |
| ❹ | 중국어를 공부합니다. |
| 도서관에 갑니다. | ❺ |

**4.** 다음 글을 읽고 '-지 않습니다'를 사용해서 질문에 대답하십시오. ( 请阅读下文，使用 "-지 않습니다" 回答问题。 )

> 마리아 씨는 연세대학교 학생입니다. 연세대학교에서 한국역사를 공부합니다. 숙제가 조금 있습니다. 가끔 도서관에 갑니다. 도서관이 아주 조용합니다. 마리아 씨는 한식을 좋아하지 않습니다. 한식이 맵습니다. 불고기는 좋아합니다. 불고기는 맵지 않습니다.

❶ 가 : 마리아 씨는 연세대학교에서 한국어를 공부합니까?

　나 : 아니요, 한국어를 공부하지 않습니다. 한국역사를 공부합니다.


❷ 가 : 마리아 씨는 숙제가 많습니까?

　나 : _____ .


❸ 가 : 마리아 씨는 날마다 도서관에 갑니까?

　나 : _____ .


❹ 가 : 도서관이 시끄럽습니까?

　나 : _____ .


❺ 가 : 마리아 씨는 한식을 좋아합니까?

　나 : _____ .


❻ 가 : 불고기가 맵습니까?

　나 : _____ .


## 무슨 N

**5.** 다음 대화를 완성하십시오. ( 请完成下列对话。 )

❶
| 한식 | 일식 | 양식 |
|------|------|------|

　가 : 무슨 음식을/를 먹습니까?

　나 : 양식을 먹습니다 _____ .


❷
| 커피 | 녹차 | 홍차 |
|------|------|------|

　가 : 무슨 _____ 을/를 마십니까?

　나 : _____ .

③

| 골프 | 스키 | 축구 |
|---|---|---|

가 : 무슨 ............... 을/를 좋아합니까?

나 : ...................................................... .

④

| 읽기책 | 잡지 | 소설책 |
|---|---|---|

가 : 무슨 ............... 을/를 읽습니까?

나 : ...................................................... .

⑤

| 클래식 | 재즈 | 록 |
|---|---|---|

가 : ...................................................... ?

나 : ...................................................... .

⑥

| | | |
|---|---|---|

가 : ...................................................... ?

나 : ...................................................... .

## ㄹ 불규칙 용언

**6.** 다음 표를 완성하십시오. ( 请完成下面表格。)

| | – 습니다/ㅂ니다 | – 을까요?/ㄹ까요? | – 읍시다/ㅂ시다 |
|---|---|---|---|
| 달다 | 답니다 | | |
| 멀다 | | | |
| 살다 | | 살까요? | |
| 열다 | | | 엽시다 |
| 놀다 | | | |
| 팔다 | | | |
| 만들다 | | | |

**7.** 다음 대화를 완성하십시오. (请完成下列对话。)

❶ 가 : 지금 어디에서 삽니까 ~~습니까?/ㅂ니까?~~ (살다)

　　나 : 신촌에서 삽니다 ~~습니다/ㅂ니다.~~

❷ 가 : 한국말을 ＿＿＿＿＿ 습니까?/ㅂ니까? (알다)

　　나 : 네, 한국말을 조금 ＿＿＿＿＿ 습니다/ㅂ니다.

❸ 가 : 불고기가 ＿＿＿＿＿ 습니까?/ㅂ니까? (달다)

　　나 : 아니요, ＿＿＿＿＿ 지 않습니다.

❹ 가 : 누구하고 같이 ＿＿＿＿＿ 을까요?/ㄹ까요? (놀다)

　　나 : 언니하고 같이 ＿＿＿＿＿ 읍시다/ㅂ시다.

❺ 가 : 무슨 음식을 ＿＿＿＿＿ 을까요?/ㄹ까요? (만들다)

　　나 : 일식을 ＿＿＿＿＿ 읍시다/ㅂ시다.

❻ 가 : 학교가 ＿＿＿＿＿ 습니까?/ㅂ니까? (멀다)

　　나 : 네, 조금 ＿＿＿＿＿ 습니다/ㅂ니다.

**8.** 다음 [보기]에서 알맞은 단어를 골라 이야기를 완성하십시오. (请选择适当的单词完成下文。)

| [보기] | 달다 | 살다 | 알다 | 팔다 | 놀다 | 만들다 |
|---|---|---|---|---|---|---|

　　제 이름은 피터입니다. 미국에서 왔습니다. 지금 기숙사에서 ❶ 삽니다.
저는 연세대학교 한국어학당에서 한국말을 공부합니다. 그래서 한국말을
조금 ❷ ＿＿＿＿＿. 저는 한국 친구가 많습니다. 그래서 한국 친구하고
자주 ❸ ＿＿＿＿＿. 우리는 친구 집에서 한국 음식을 ❹ ＿＿＿＿＿.
한국 음식은 ❺ ＿＿＿＿＿ 지 않습니다. 미국의 식당에서도 한국 음식을
❻ ＿＿＿＿＿.

어휘

**1.** 다음 중에서 여러분이 먹은 음식은 O, 안 먹은 음식은 X표 하십시오. ( 以下食物中，各位吃过的请画○，没吃过的请画×。)

| 비빔밥 | 갈비 | 삼겹살 | 삼계탕 |
|---|---|---|---|
| ○ | | | |

| 김치찌개 | 된장찌개 | 순두부찌개 | 갈비탕 |
|---|---|---|---|
| | | | |

| 냉면 | 라면 | 김밥 | 떡볶이 |
|---|---|---|---|
| | | | |

**2.** 여러분은 무엇을 먹습니까? 다음 표를 완성하고 질문에 대답을 쓰십시오. ( 大家都吃什么呢？请完成下表并回答问题。)

| | 아침 | 점심 | 저녁 |
|---|---|---|---|
| 마리아 | 토스트, 우유 | 자장면 | 스테이크, 커피 |
| 리에 | 밥, 순두부찌개, 김치 | 김밥, 라면 | 갈비, 냉면 |
| 나 | | | |

❶ 마리아 씨는 아침에 무엇을 먹습니까?

.................................................................

❷ 마리아 씨는 점심에 무슨 식당에 갑니까?

.................................................................

❸ 리에 씨는 점심에 무엇을 먹습니까?

.................................................................

❹ 누가 한식을 좋아합니까?

.................................................................

❺ 누가 저녁에 양식집에 갑니까?

.................................................................

## AVst고 싶다

**3.** 관계있는 말을 연결하고 '-고 싶습니다'를 사용해서 문장을 완성하십시오. ( 请把相关的 内容用线连接起来，然后使用 "-고 싶습니다" 完成句子。)

| | |
|---|---|
| ❶ 목이 마르다 • | • 쉬다 |
| ❷ 배가 고프다 • | • 물을 마시다 |
| ❸ 한국말을 모르다 • | • 밥을 먹다 |
| ❹ 피곤하다 • | • 창문을 열다 |
| ❺ 덥다 • | • 한국말을 배우다 |

❶ 목이 마릅니다. 물을 마시고 싶습니다.

❷ 배가 고픕니다. ........................................... .

❸ ........................................... .

❹ ........................................... .

❺ ........................................... .

**4.** 왕빈 씨는 내년에 한국 여자 친구하고 결혼하겠습니다. 다음 표를 보고 '-고 싶다'를 사용해서 문장으로 쓰십시오. ( 王斌明年将与韩国女友结婚。请看下表，使用 "-고 싶습니다" 写句子。)

| | ❶ 계절 | ❷ 장소 | ❸ 신혼여행 | ❹ 결혼 선물 | ❺ 집 |
|---|---|---|---|---|---|
| 왕빈 | 겨울 | 교회 | 하와이 | 시계 | 서울 |
| 여자 친구 | 여름 | 호텔 | 파리 | 반지 | 베이징 |

| 나 (왕빈) | 여자 친구 |
|---|---|
| ❶ 저는 겨울에 결혼하고 싶습니다. | 여자 친구는 여름에 결혼하고 싶어합니다. |
| ❷ | |
| ❸ | |
| ❹ | |
| ❺ | |

**5.** 다음 그림을 보고 '-겠-'을 사용해서 문장을 완성하십시오. (请看图, 使用 "-겠-" 完成句子。)

내일은 학교에 일찍 오다

➜ 내일은 학교에 일찍 오겠습니다.

내일 다시 전화하다

➜ ................................................................................................ .

열심히 공부하다

➜ ................................................................................................ .

제가 읽다

➜ ................................................................................................ .

술을 마시지 않다

➜ ................................................................................................ .

**6.** 다음 그림을 보고 [보기]에서 알맞은 문장을 골라 이야기를 완성하십시오. ( 请看图，选择适当的句子完成下文。 )

[보기]  한국차를 마시다.           부모님을 만나다.        불고기를 먹다.
        부모님과 많이 이야기 하다.    쇼핑을 하다.

내일 부모님이 한국에 오십니다.

인천공항에서 ❶ 부모님을 만나겠습니다          .

저는 부모님하고 같이 한식집에 가겠습니다.

한식집에서 ❷ _____ .

그리고 인사동에 가겠습니다. 인사동에서 ❸ _____ .

❹ _____ .

그리고 호텔에 가겠습니다.

호텔에서 ❺ _____ .

**어휘**

**1.** 다음 숫자를 한글로 쓰십시오. (请将下列数字用韩文写出来。书写下列数字。)

❶ 9 ➡ 구　　❷ 3 ➡　　　　❸ 7 ➡　　　　❹ 5 ➡　　　　❺ 2 ➡

❻ 8 ➡　　　　❼ 6 ➡　　　　❽ 1 ➡　　　　❾ 10 ➡　　　　❿ 4 ➡

**2.** 다음 [보기]에서 알맞은 단어를 골라 밑줄에 쓰십시오. (请选择适当的单词填入横线处。)

| [보기] | 잔 | 병 | 그릇 | 인분 | 명 | 권 |
|---|---|---|---|---|---|---|

❶ 책이 <u>네 권</u> 있습니다.

❷ 날마다 커피를 _____ 마십니다.

❸ 냉면 _____ 을/를 시킵니다.

❹ 오렌지 주스를 _____ 삽니다.

❺ 불고기 _____ 을/를 먹습니다.

❻ 우리 반 학생은 모두 _____ 입니다.

## AVst 으십시오/십시오

**3.** 다음 표를 완성하십시오. ( 请完成下面表格。)

| | Vst으십니다 | Vst으십니까? | Vst읍시다 | Vst으십시오 |
|---|---|---|---|---|
| 앉다 | | | | |
| 읽다 | | | | |
| 찾다 | | | | |

| | Vst십니다 | Vst십니까? | Vstㅂ시다 | Vst십시오 |
|---|---|---|---|---|
| 가다 | | | | |
| 오다 | | | | |
| 쉬다 | | | | |
| 보다 | | | | |
| 사다 | | | | |
| 기다리다 | | | | |
| 가르치다 | | | | |
| 배우다 | | | | |
| 공부하다 | | | | |
| 일하다 | | | | |

| | Vst으십니다 /십니다 | Vst으십니까? /십니까? | Vst읍시다 /ㅂ시다 | Vst으십시오 /십시오 |
|---|---|---|---|---|
| 먹다 | | | | |
| 있다 | | | | |
| 자다 | | | | |
| 말하다 | | | | |

**4.** 선생님이 학생들에게 무슨 말을 합니까? 다음 그림을 보고 학생 이름과 문장을 연결한 후 '−으십시오/십시오'를 사용해서 다시 쓰십시오. ( 老师对学生说了什么? 请看图, 把学生的名字和相关的词语用线连接起来, 并使用 "−으십시오/십시오" 完成句子。 )

❶ 요코 •                              • 조용히 하다

❷ 존슨 •                              • 책을 보다

❸ 제임스 •                            • 창문을 닫다

❹ 신디 •                              • 앉다

❺ 웨이 •                              • 들어오다

❻ 마리아 •                            • 일어나다

❶ 요코 씨, 들어오십시오                     .

❷ _____ .

❸ _____ .

❹ _____ .

❺ _____ .

❻ _____ .

## AVst 을까?/ㄹ까요?

**5.** 다음 대화를 완성하십시오. ( 请完成下列对话。 )

❶ 가 : 제가 전화할까요?

　　나 : 네, <u>전화하십시오</u>.

❷ 가 : 순두부찌개를 먹을까요?

　　나 : 네, ........................................ .

❸ 가 : 무슨 책을 읽을까요?

　　나 : ........................................ .

❹ 가 : ........................................ ?

　　나 : 네, 창문을 여십시오.

❺ 가 : ........................................ ?

　　나 : 커피 한 잔 주십시오.

❻ 가 : ........................................ ?

　　나 : ........................................ .

**6.** 스티브 씨는 한국에 여행을 가고 싶어합니다. 스티브 씨가 한국 친구 우진 씨에게 무슨 질문을 하겠습니까? 다음 표를 보고 질문을 만드십시오. ( 史蒂夫想去韩国旅行。史蒂夫会向韩国朋友友珍问什么问题呢？请根据下表填写问句。)

| 질문 | ❶ 여행 장소 | ❷ 계절 | ❸ 식당 | ❹ 음식 | ❺ 구경 | ❻ 쇼핑 |
|---|---|---|---|---|---|---|
| 우진 씨 대답 | 서울 | 봄 | 한식집 | 비빔밥 | 인사동 | 남대문 시장 |

스티브 : ❶ <u>어디에 갈까요</u>                      ?

우진　 : 서울에 가십시오.

스티브 : ❷ ........................................................ ?

우진　 : 봄에 가십시오.

스티브 : ❸ ........................................................ ?

우진　 : 한식집에 가십시오.

스티브 : ❹ ........................................................ ?

우진　 : 비빔밥을 드십시오.

스티브 : ❺ ........................................................ ?

우진　 : 인사동을 구경하십시오.

스티브 : ❻ ........................................................ ?

우진　 : 남대문시장에서 사십시오.

## 어휘와 문법

**1.** 다음 단어 중 한식은 '한', 중국 음식은 '중', 일식은 '일',양식은'양'을 쓰십시오. (在下列单词中，是韩餐的写"한"，中餐写"중"，日餐写"일"，西餐写"양"。)

| 비빔밥 | 한 | 자장면 | ☐ | 우동 | ☐ | 스테이크 | ☐ | 삼계탕 | ☐ |
| 초밥 | ☐ | 라자냐 | ☐ | 짬뽕 | ☐ | 된장찌개 | ☐ | 피자 | ☐ |
| 볶음밥 | ☐ | 탕수육 | ☐ | 냉면 | ☐ | 스파게티 | ☐ | 갈비탕 | ☐ |

**2.** 관계있는 단어를 연결하십시오. (请把相关单词连接起来。)

맵다　(사탕)　약　시다

고추　짜다　쓰다

소금　(달다)　레몬

---

개　커피　병　냉면　명

(인분)　잔　의자　권

(갈비)　책　그릇　소주　의사

**3.** 다음 문장에서 밑줄 친 숫자를 한글로 쓰십시오. (请将句中画线部分的数词用韩文写出来。)

❶ 교과서 10쪽을 보십시오.　　➡ 십 쪽

❷ 책이 3권 있습니다.　　➡ ............

❸ 오늘 커피를 2잔 마셨습니다.　　➡ ............

❹ 냉장고에 맥주가 4병 있습니다.　　➡ ............

❺ 교실은 5층에 있습니다.　　➡ ............

❻ 8번 버스를 탑니다.　　➡ ............

❼ 비빔밥 1그릇 주십시오.　　➡ ............

❽ 불고기를 3인분 시킵시다.　　➡ ............

❾ 오늘은 제 5과 2항을 공부하겠습니다.　➡ ............

❿ 교실에 책상이 9개 있습니다.　　➡ ............

**4.** 다음 그림을 보고 질문에 대답하십시오. ( 请看图回答问题。)

❶ 왕빈      지선

가 : 지선 씨가 중국 사람입니까?

나 : 아니요, 지선 씨는 중국 사람이 아닙니다.

     왕빈 씨가 중국사람입니다       .

❷

가 : 왕빈 씨가 동생이 있습니까?

나 : _____ .

_____ .

❸

가 : 지선 씨 부모님이 중국에 계십니까?

나 : _____ .

_____ .

❹

가 : 왕빈 씨가 영어를 압니까?

나 : _____ .

_____ .

❺ 갈비,삼겹살, 불고기      갈비, 삼겹살, 불고기

가 : 지선 씨가 고기를 먹습니까?

나 : _____ .

_____ .

❻

가 : 왕빈 씨가 내일 바다에 가겠습니까?

나 : _____ .

_____ .

**5.** 다음 대화를 완성하십시오. ( 请完成下列对话。 )

[ 길에서 ]

존슨 : 미선 씨, 어디에 갑니까?

미선 : ❶ 극장에 갑니다 _____ .

존슨 : 같이 극장에 갈까요?

미선 : 네, ❷ _____ .

존슨 : 극장은 멉니까?

미선 : 아니요, ❸ _____ .

존슨 : 미선 씨는 무슨 영화를 좋아하십니까?

미선 : ❹ _____ .

[ 극장에서 ]

미선 : 아직 시간이 있습니다.

존슨 : ❺ _____ ?

미선 : 네, 차를 마십시다.

존슨 : ❻ _____ ?

미선 : 저는 커피를 마시고 싶습니다.

존슨 : 저는 녹차를 마시겠습니다.

**6.** 다음 질문을 듣고 알맞은 대답을 고르십시오. ( 请听录音，选择正确答案。)

1) (          )

❶ 네, 그럽시다.                    ❷ 네, 같이 가십시오.

❸ 아니요, 혼자 갑니다.              ❹ 아니요, 어디에 갈까요?

2) (          )

❶ 아주 맛있습니다.                  ❷ 저는 불고기를 좋아합니다.

❸ 네, 저는 음식을 좋아합니다.       ❹ 아니요, 저는 한식을 좋아하지 않습니다.

3) (          )

❶ 쌉니다.                          ❷ 맵지 않습니다.

❸ 아니요, 맛이 없습니다.            ❹ 불고기 일 인분 주십시오.

**7.** 다음 이야기를 듣고 질문에 대답하십시오. ( 请听录音，回答问题。)

1) 두 사람이 시킨 음식에 O표 하십시오. ( 请在二人点的餐饮下画O。)

| 된장찌개 | 삼계탕 | 불고기 | 김치찌개 | 맥주 | 콜라 |
|---|---|---|---|---|---|
|  |  |  |  |  |  |

2) 김치찌개 맛이 어떻습니까? ( 泡菜汤味道如何? )

❶ 조금 답니다

❷ 조금 짭니다

❸ 조금 싱겁습니다

❹ 조금 맵습니다

3) 두 사람은 지금 어디에 있습니까? ( 二人现在在哪里? )

　❶ 일식집

　❷ 중국집

　❸ 한식집

　❹ 양식집

4) 들은 내용과 같으면 O, 다르면 X표 하십시오. ( 与所听内容一致请画O, 不一致请画×。)

　❶ 이 식당에는 삼계탕도 있습니다.　　　　　(　　　)

　❷ 불고기는 짭니다.　　　　　　　　　　(　　　)

　❸ 리에 씨는 김치찌개를 먹겠습니다.　　　(　　　)

YONSEI KOREAN 1 WORKBOOK

**8.** 다음 이야기를 읽고 대화를 완성하십시오. ( **请阅读下文，完成对话。** )

> 제임스 씨가 혼자 식당에 갑니다. 도서관 앞에서 웨이 씨를 만납니다. 두 사람은 같이 식당에 갑니다. 한식집에 갑니다. 제임스 씨는 불고기를 좋아합니다. 불고기는 아주 맛있고 맵지 않습니다. 웨이 씨는 냉면을 좋아합니다. 냉면도 맛있습니다. 두 사람은 불고기 이 인분하고 냉면 한 그릇을 시킵니다.

[ 도서관 앞에서 ]

웨이    : 제임스 씨, 어디에 갑니까?

제임스 : ❶ _____ .

웨이    : 누구하고 갑니까?

제임스 : ❷ _____ .

웨이    : 같이 갈까요?

제임스 : ❸ _____ .


[ 한식집에서 ]

웨이    : ❹ _____ ?

제임스 : 저는 불고기를 좋아합니다.

웨이    : ❺ _____ ?

제임스 : 아주 맛있습니다.

웨이    : ❻ _____ ?

제임스 : 네, 맵지 않습니다.

웨이    : 저는 냉면을 좋아합니다. 냉면도 맛있습니다.

제임스 : ❼ 그럼, _____ ?

웨이    : 네, 그럽시다.

제임스 : 여보세요, 여기 불고기 이 인분하고 냉면 한 그릇 주십시오.

**9.** 다음 문형을 사용해서 그림에 맞게 친구와 이야기하십시오. ( 请根据图片内容，使用以下句型和同伴进行口语问答练习。)

| [한식집] | [중국집] | [일식집] | [양식집] |
|---|---|---|---|
| 갈비　　　15,000원 | 자장면　　3,000원 | 초밥　　　8,000원 | 스테이크 30,000원 |
| 냉면　　　5,000원 | 짬뽕　　　3,500원 | 우동　　　5,000원 | 스파게티　9,000원 |
| 된장찌개 5,000원 | 볶음밥　　5,000원 | 회덮밥　　6,000원 | 피자　　　15,000원 |
| 갈비탕　　6,000원 | 탕수육　15,000원 | 회　　　40,000원 | 라자냐　10,000원 |

| [문형] | −을까요?/ㄹ까요? | −읍시다/ㅂ시다 | −으십시오/십시오 |
|---|---|---|---|
| | −겠습니까? | −겠습니다 | −고 싶습니다 |

[ 대화 보기 ]

− 한식집에서 −

❶ 제임스 : 어디에 갈까요?

　리에　　: 한식집에 갑시다.

❷ 종업원 : 뭘 드릴까요?

❸ 제임스 : 저는 냉면을 먹고 싶습니다.

❹ 리에　　: 저는 갈비탕을 먹겠습니다.

❺ 종업원 : 냉면 하나하고 갈비탕 하나요.

❻ 제임스 : 네, 그리고 여기 물 좀 주십시오.

**10.** 다음 표의 질문으로 친구들과 이야기하십시오. ( 请用下表给出的问句和同伴进行口语问答练习。 )

| 질문 | 친구 1 | 친구 2 |
|---|---|---|
| 1) 내일 시간이 있습니까? | | |
| 2) 내일 _____ 씨 생일입니다. 같이 저녁을 먹을까요? | | |
| 3) 어디에서 저녁을 먹을까요? | | |
| 4) 뭘 먹고 싶습니까? | | |
| 5) _____ 씨는 무슨 음식을 좋아합니까? | | |
| 6) 그 음식은 맛이 어떻습니까? | | |
| 7) _____ 씨는 어느 식당에 자주 갑니까? | | |
| 8) 그 식당은 무슨 음식이 맛있습니까? | | |
| 9) _____ 씨, 내일 선물을 사겠습니까? | | |
| 10) 무슨 선물을 사고 싶습니까? | | |

다음 한국 노래를 배워 봅시다. ( 学一学下面的韩国歌曲吧。 )

## 아리랑

## 사랑해 당신을

# 하루 생활

## 5과 1항

### 어휘

**1.** 다음 숫자를 한글로 쓰십시오. ( 请将下列数字用韩文写出来。)

❶ 52 ➔ 오십이　　　　　❷ 19 ➔

❸ 368 ➔　　　　　　　　❹ 205 ➔

❺ 4,500 ➔　　　　　　　❻ 1,097 ➔

❼ 60,000 ➔　　　　　　 ❽ 38,721 ➔

**2.** 다음 시간을 숫자로 쓰십시오. ( 请将下列时间用数字写出来。)

❶ 다섯 시입니다.　　　　　❷ 여덟 시 오 분입니다.
　( 5 )　　　　　　　　　　 (　) (　)

❸ 네 시 삼십 분입니다.　　 ❹ 열 시 사십 분입니다.
　(　) (　)　　　　　　　　 (　) (　)

❺ 두 시 십팔 분입니다.　　 ❻ 열한 시 이십칠 분입니다.
　(　) (　)　　　　　　　　 (　)　 (　)

**3.** 다음 시간을 한글로 쓰십시오. ( 请将下列时间用韩文写出来。)

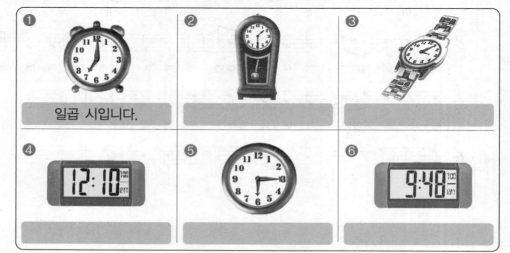

❶ 일곱 시입니다.　　❷　　　❸

❹　　　❺　　　❻

N 까지

**4.** 다음은 제임스 씨가 선생님과 이야기하고 메모한 것입니다. 메모를 보고 대화를 완성하십시오. ( 以下是詹姆斯与老师谈话后记下来的。请根据记录，完成对话。 )

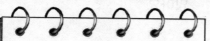

1교시   9시 - 9시 50분

2교시   10시 - 10시 50분

3교시   11시10분 - 12시

4교시   12시10분 - 오후 1시


* 읽기 숙제 ; 교과서 3쪽 - 10쪽
* 인터넷 룸 ; 오후 2시 - 5시

선생님 : 날마다 아홉 시까지 학교에 오십시오.

제임스 : 선생님, 1교시 수업은 몇 시까지입니까?

선생님 : ❶ 아홉 시 오십 분까지입니다                        .

제임스 : 몇 시까지 학교에서 공부합니까?

선생님 : ❷                                         .

제임스 : 3교시에는 읽기 수업이 있습니다. 몇 시까지 교실에 들어올까요?

선생님 : ❸                                      .

제임스 : 알겠습니다. 오늘 읽기 숙제는 어디까지입니까?

선생님 : ❹                                      .

제임스 : 이메일을 보내고 싶습니다. 인터넷 룸은 ❺                        ?

선생님 : 오후 5시까지 엽니다.

**5.** 다음 표를 완성하십시오. ( 请完成下面表格。)

| | Vst 어요/아요/여요 |
|---|---|
| 많다 | 많아요 |
| 앉다 | |
| 가다 | |
| 자다 | |
| 만나다 | |
| 좋다 | |
| 오다 | |
| 보다 | |
| 먹다 | |
| 없다 | |
| 있다 | |
| 읽다 | |
| 마시다 | |
| 가르치다 | |
| 주다 | |
| 배우다 | |
| 쓰다 | |
| 나쁘다 | |
| 예쁘다 | |
| 쉬다 | |
| 하다 | |
| 공부하다 | |

**6.** 다음을 바꿔 쓰십시오. ( 请改写下列句子。 )

❶ 학교에 옵니다.　　　　　　　➡ 학교에 와요　　　　　　　　.

❷ 친구가 잡니다.　　　　　　　➡ 　　　　　　　　　　　　.

❸ 언니가 예쁩니다.　　　　　　➡ 　　　　　　　　　　　　.

❹ 사전이 없습니다.　　　　　　➡ 　　　　　　　　　　　　.

❺ 제 방은 크지 않습니다.　　　➡ 　　　　　　　　　　　　.

❻ 날마다 커피를 마십니까?　　➡ 　　　　　　　　　　　　.

❼ 무슨 음식을 좋아합니까?　　➡ 　　　　　　　　　　　　.

❽ 공책에 이름을 쓰십시오.　　➡ 　　　　　　　　　　　　.

❾ 냉면을 먹읍시다.　　　　　　➡ 　　　　　　　　　　　　.

❿ 내일 만납시다.　　　　　　　➡ 　　　　　　　　　　　　.

---

N 이에요 / 예요

**7.** 다음을 바꿔 쓰십시오. ( 请改写下列句子。 )

❶ 저는 학생입니다.　　　　　　➡ 저는 학생이에요　　　　　　.

❷ 여기가 연세대학교입니다.　　➡ 　　　　　　　　　　　　.

❸ 이 음식은 비빔밥입니다.　　➡ 　　　　　　　　　　　　.

❹ 그 분은 선생님이 아닙니다.　➡ 　　　　　　　　　　　　.

❺ 집이 어디입니까?　　　　　　➡ 　　　　　　　　　　　　.

❻ 취미가 무엇입니까?　　　　　➡ 　　　　　　　　　　　　.

**8.** '-어요/아요/여요'를 사용해서 다음 대화를 완성하십시오. ( 请使用 "-어요/아요/여요" 完成对话。 )

❶ 가 : 이름이 뭐예요?

　　나 : <u>츠베토바 마리아예요</u> .

❷ 가 : 회사원이에요?

　　나 : _____ .

❸ 가 : 집이 어디예요?

　　나 : _____ ?

❹ 가 : _____ ?

　　나 : 아버지, 어머니, 남동생 그리고 저 모두 네 명이에요.

❺ 가 : 한국 생활이 어때요?

　　나 : _____ .

❻ 가: 내일 만날까요?

　　나 : _____ .

**어휘**

**1.** 다음 ( ) 안에 알맞은 단어를 쓰십시오. ( 请在 ( ) 内填写适当的单词。)

❶ 일월 – ( 이월 ) – ( ) – 사월 – ( ) – ( )

❷ ( ) – 팔월 – 구월 – ( ) – 십일월 – ( )

❸ 십육일 – ( ) – 십팔일 – ( ) – 이십일 – ( )

❹ 일요일 – ( ) – 화요일 – ( ) – 목요일 – ( ) – ( )

❺ ( ) – 오늘 – ( )

**2.** 다음 달력을 보고 날짜를 한글로 쓰십시오. ( 请看日历，将上面的日期用韩文写出来。)

2000년 7월 **11일**

1985년 11월 **25일**

❶ 이천년 칠월 십일일입니다.

❷ _____ .

2007년 2월 **14일**

6월 **6일**

❸ _____ .

❹ _____ .

10월 **10일**

8월 **31일**

❺ _____ .

❻ _____ .

**3.** 다음 달력을 보고 대화를 완성하십시오. (请看日历完成对话。)

# 10월

| Sun | Mon | Tue | Wed | Thu | Fri | Sat |
|-----|-----|-----|-----|-----|-----|-----|
|  |  |  |  |  |  | 1 |
| 2 | 3<br>개천절 | 4 | 5 | 6 | 7 | 8 |
| 9<br>한글날 | 10 | 11 | 12 | 13 | 14<br>오늘 | 15 |
| 16 | 17 | 18<br>← | 19<br>시 | 20<br>험 | 21<br>→ | 22 |
| 23 | 24 | 25 | 26 | 27 | 28 | 29<br>어머니생신 |
| 30 | 31 |  |  |  |  |  |

❶ 가 : 오늘이 몇 월 며칠입니까?

　나 : <u>시월 십사일입니다</u> .

❷ 가 : 오늘이 무슨 요일입니까?

　나 : ＿＿＿＿＿＿＿＿＿＿＿＿ .

❸ 가 : 내일이 몇 월 며칠입니까?

　나 : ＿＿＿＿＿＿＿＿＿＿＿＿ .

❹ 가 : 한글날은 무슨 요일입니까?

　나 : ＿＿＿＿＿＿＿＿＿＿＿＿ .

❺ 가 : 시험은 며칠까지입니까?

　나 : ＿＿＿＿＿＿＿＿＿＿＿＿ .

❻ 가 : ＿＿＿＿＿＿＿＿＿＿＿＿ ?

　나 : 시월 이십구일입니다.

## Vst 지요?

**4.** 다음 대화를 완성하십시오. ( 请完成下列对话。 )

❶ 가 : 날씨가 <u>　　　　춥지요　　　　</u>?

　　나 : 네, 날씨가 춥습니다 <u>　　　　　　　</u>.

❷ 가 : 한국말이 <u>　　　　　　　　　</u>?

　　나 : 네, <u>　　　　　　　　　</u>.

❸ 가 : 다이아몬드가 <u>　　　　　　　</u>?

　　나 : 네, <u>　　　　　　　　　</u>.

❹ 가 : 제임스 씨가 <u>　　　　　　　</u>?

　　나 : <u>　　　　　　　　　</u>.

❺ 가 : 김치가 <u>　　　　　　　　</u>?

　　나 : <u>　　　　　　　　　</u>.

❻ 가 : 날마다 <u>　　　　　　　　</u>?

　　나 : <u>　　　　　　　　　</u>.

**5.** 다음 이야기를 읽고 '-지요?'를 사용해서 질문하십시오. 그리고 질문에 맞게 대답하십시오. ( 请阅读下文，使用 "-지요?" 进行提问，并回答问题。 )

> 오늘은 날씨가 아주 덥습니다. 오늘은 리사 씨 생일입니다. 제임스 씨는 리사 씨 생일을 압니다. 리사 씨는 냉면을 좋아합니다. 그래서 제임스 씨는 리사 씨하고 같이 한식집에 가고 싶어합니다.
>
> 　두 사람은 한식집에서 냉면을 시킵니다. 한식집에 사람이 아주 많습니다. 냉면이 시원하고 맛있습니다.

제임스 : 리사 씨, 오늘 날씨가 ❶ <u>아주 덥지요?</u>

리사　 : 네, 아주 더워요.

제임스 : 오늘이 ❷ _____?

리사　 : 네, ❸ _____.

제임스 : 리사 씨는 냉면을 ❹ _____?

리사　 : 네, ❺ _____.

제임스 : 같이 한식집에 갈까요?

리사　 : 네, ❻ _____.


(두 사람은 식당에 갑니다.)

제임스 : 이 식당에 사람이 ❼ _____?

리사　 : 네, ❽ _____.

제임스 : 이 식당 냉면이 ❾ _____?

리사　 : 네, ❿ _____.


## Vst 으세요/세요

**6.** 다음을 바꿔 쓰십시오. ( 请改写下列句子。 )

❶ 우리 아버지는 경찰이십니다.　➡ <u>우리 아버지는 경찰이세요.</u>

❷ 그분이 선생님이십니까?　➡ _____

❸ 선생님이 바쁘십니다.　➡ _____

❹ 할머니께서 주무십니다.　➡ _____

❺ 무슨 책을 읽으십니까?　➡ _____

❻ 안녕하십니까?　➡ _____

❼ 안녕히 계십시오.　➡ _____

❽ 여기 앉으십시오.　➡ _____

**7.** 다음 그림을 보고 '-으세요/세요'를 사용해서 대화를 완성하십시오. ( 请看下图，使用 "-으세요/세요" 完成对话。)

❶

미선 : 아버지께서 무슨 일을 하세요?

수한 : <u>회사원이세요</u> .

❷

마리 : 할머니께서 지금 뭘 하세요?

웨이 : _____ .

❸

선우 : 미선 씨, 지금 뭐 하세요?

미선 : _____ .

❹

리에 : _____ ?

진수 : 저분이 우리 선생님이세요.

❺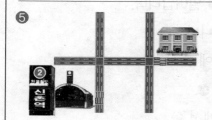

웨이 : _____ ?

은주 : 저는 신촌에 살아요.

❻

현우 : _____ ?

에릭 : 저는 한식을 좋아해요.

### 어휘

**1.** 관계있는 단어를 연결하십시오. ( 请把相关的单词连接起来。 )

❶ 이를 •                                               • 자다

❷ 잠을 •                                               • 타다

❸ 세수를 •                                             • 닦다

❹ 버스를 •                                             • 하다

❺ 버스에서 •                                             • 내리다

**2.** 다음 [보기]에서 단어를 골라 밑줄에 고쳐 쓰십시오. ( 请选择合适的单词并用其适当形式填空。 )

| [보기] | 타다 | 내리다 | 일어나다 | 잠을 자다 | 이를 닦다 | 세수를 하다 |

아침 7시입니다. 지수 씨는 날마다 일찍 ❶ 일어납니다.

먼저 ❷ _____. 얼굴이 깨끗합니다.

지수 씨는 아침을 먹습니다. 아침 식사 후에 ❸ _____.

8시 반에 집에서 나옵니다. 172번 버스를 ❹ _____.

회사가 종로에 있습니다. 지수 씨는 버스에서 ❺ _____.

지수 씨는 회사에서 열심히 일을 합니다.

오후 6시에 일이 끝납니다. 지수 씨는 피곤합니다. 집에서 ❻ _____.

## 문법

**N 에**

**3.** 다음 대화를 완성하십시오. ( 请完成下列对话。)

❶

| 아침 | 저녁 | 밤 |
|------|------|-----|

가 : 언제 숙제해요 _____ ? (숙제하다)

나 : 저녁에 숙제해요 _____ .

❷

| 10시 | 11시 | 12시 |
|------|------|------|

가 : 몇 시에 _____ ? (자다)

나 : _____ .

❸

| 9월 | 10월 | 11월 |
|-----|------|------|

가 : 몇 월에 _____ ? (여행하다)

나 : _____ .

❹

| 12월 23일 | 12월 24일 | 12월 25일 |
|-----------|-----------|-----------|

가 : _____ ? (파티를 하다)

나 : _____ .

❺

| 월요일 | 화요일 | 수요일 |
|--------|--------|--------|

가 : _____ ? (시험이 있다)

나 : _____ .

❻

| 생일 | 설날 | 크리스마스 |
|------|------|-----------|

가 : _____ ? (가족을 만나다)

나 : _____ .

**4.** 다음 표를 완성하고 문장으로 쓰십시오. ( 请完成下表并用表中的内容组成句子。 )

| 시간 | 계획 |
|---|---|
| 오늘 저녁 | 한국말 숙제 |
| 내일 오후 3시 | |
| 일요일 오전 | |
| 밸런타인데이 | |
| 2020년 | |

[보기] 저는 **오늘 저녁**에 한국말 숙제를 하겠습니다.

---

## N 부터 N 까지

**5.** 다음 그림을 보고 대화를 완성하십시오. ( 请看图完成对话。 )

| 21일 | 22일 | 23일 | 24일 |
|---|---|---|---|
| ← | 방 | 학 | → |

❶ 가 : 며칠부터 며칠까지 방학이에요 ?

　　나 : 21일부터 24일까지 방학이에요 .

| 3월 | 4월 | 5월 |
|---|---|---|
| ← | 봄 | → |

❷ 가 : 몇 월부터 　　　　　　　　　 ?

　　나 : 　　　　　　　　　　　　　 .

| 월 | 화 | 수 | 목 | 금 |
|---|---|---|---|---|
| ← | 수 | 수 | 업 | → |

❸ 가 : _____?

　 나 : _____.

| AM 10:00 - AM 11:00 운동 |
|---|

❹ 가 : _____?

　 나 : _____.

| 10쪽 - 20쪽 숙제 |
|---|

❺ 가 : _____?

　 나 : _____.

## AVst 고

**6.** 다음을 한 문장으로 만드십시오. (请将两句话连成一句。)

❶ 세수를 합니다. / 이를 닦아요.

➔ 세수를 하고 이를 닦아요 .

❷ 밥을 먹습니다. / 차를 마셔요.

➔ _____.

❸ 텔레비전을 봅니다. / 숙제를 해요.

➡ _____ .

❹ 옷을 입습니다. / 거울을 봐요.

➡ _____ .

❺ 영화를 봅니다. / 커피숍에 갑시다.

➡ _____ .

❻ 책을 읽습니다. / 자겠어요.

➡ _____ .

**7.** 다음 표를 보고 피터 씨의 생활을 쓰십시오. ( 请根据下表写一写彼得的生活。 )

| 8:30 | 아침 식사 |
|---|---|
| 9:00 – 12:00 | 한국말 수업 |
| 1:00 | 점심 식사 |
| 2:00 – 5:00 | 아르바이트 |
| 6:00 – 7:00 | 운동 |
| 7:30 | 저녁 식사 |
| 9:00 – 10:00 | TV 보기 |

❶ 피터 씨는 아침을 먹고 한국말을 배웁니다 _____ .

❷ 한국말을 배우고 _____ .

❸ 점심을 _____ .

❹ 아르바이트를 _____ .

❺ _____ 저녁을 먹습니다.

❻ _____ .

**8.** 다음 이야기를 읽고 그림의 순서를 맞추십시오. ( 请阅读下文，给图片排序。 )

저는 내일 미선 씨하고 쇼핑을 하겠습니다.

현대백화점 앞에서 미선 씨를 만나겠습니다.

3층에서 가방을 사고 1층에서 립스틱을 구경하겠습니다.

립스틱을 사고 5층 식당에 가겠습니다.

미선 씨와 저녁을 먹고 차를 마시겠습니다.

차를 마시고 집에 돌아오겠습니다.

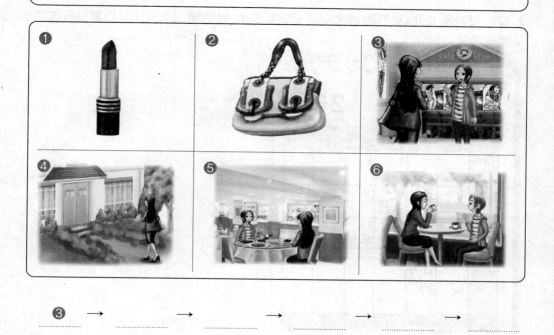

❸　→　　　　→　　　　→　　　　→　　　　→

## 어휘

**1.** 다음 ( ) 안에 알맞은 단어를 쓰십시오. ( 请在 ( ) 内填写适当的单词。)

❶ ( 그저께 ) – 어제 – ( ) – 내일 – ( )

❷ ( ) – 이번 주 – ( )

❸ 지난 달 – ( ) – ( )

❹ ( ) – 올해 – ( )

**2.** 다음 달력을 보고 [보기]에서 알맞은 단어를 골라 빈 칸에 쓰십시오. ( 请看日历选择适当的单词填空。)

### 2월

| 일 | 월 | 화 | 수 | 목 | 금 | 토 |
|----|----|----|----|----|----|----|
|    |    |    | 1 | 2 | 3 | 4 |
| 5 | 6 | 7 | 8 수영 | 9 | 10 | 11 |
| 12 | 13 | 14 밸런타인데이 | 15 | 16 오늘 | 17 | 18 리사 생일 |
| 19 | 20 | 21 시험 | 22 | 23 | 24 | 25 |
| 26 | 27 | 28 |  |  |  |  |

| [보기] | 어제 | 그저께 | 내일 | 모레 | 지난 주 | 이번 주 | 다음 주 |

❶ _____오늘_____ 은 / 는 목요일입니다.

❷ _____ 은 / 는 리사 씨 생일입니다.

❸ _____ 은 / 는 밸런타인데이였습니다.

❹ _____ 에 수영을 했습니다.

❺ _____ 에 시험이 있습니다.

## –었/았/였–

**3.** 다음 표를 완성하십시오. ( 请完成下面表格。 )

| | Vst 어요/아요/여요 | Vst 었어요/았어요/였어요 |
|---|---|---|
| 가다 | 가요 | |
| 타다 | | |
| 받다 | | |
| 앉다 | | |
| 오다 | | |
| 보다 | | |
| 좋다 | | |
| 먹다 | | 먹었어요 |
| 마시다 | | |
| 가르치다 | | |
| 읽다 | | |
| 배우다 | | |
| 주다 | | |
| 쓰다 | | |
| 예쁘다 | | |
| 쉬다 | | |
| 일하다 | | |
| 여행하다 | | |

**4.** 다음 이야기를 읽고 맞는 것을 고르십시오. ( 请阅读下文，选择正确答案。)

저는 지금 친구 집에 ( 살아요, 살았어요 ). 지난 달까지는 기숙사에 ( 살아요, 살았어요 ). 제 친구는 아주 ( 친절해요, 친절했어요 ). 어제는 친구가 불고기하고 김치찌개를 ( 만들어요, 만들었어요 ). 불고기가 ( 맛있어요, 맛있었어요 ). 김치째개는 ( 매워요, 매웠어요 ). 우리는 어제 저녁을 먹고 TV 드라마를 ( 봐요, 봤어요 ). 저는 한국 드라마를 자주 ( 봐요, 봤어요 ). 어제 드라마도 ( 재미있어요, 재미있었어요 ). 친구는 한국 노래를 ( 좋아해요, 좋아했어요 ). 그래서 우리는 TV를 보고 노래방에 ( 가요, 갔어요 ).

**5.** 다음 그림을 보고 문장을 완성하십시오. ( 请看图完成句子。)

❶ 저는   키가 작았어요   . 지금은 키가 커요.

❷ 저는 _____ . 지금은 머리가 짧아요.

❸ 저는 _____ . 지금은 아이스크림을 좋아하지 않아요.

❹ 이곳은 _____ . 지금은 나무가 없어요.

❺ 이곳은 _____ . 지금은 아파트가 많아요.

❻ 이곳은 _____ . 지금은 시끄러워요.

## ㅂ 불규칙 용언

**6.** 다음 표를 완성하십시오. ( 请完成下面表格。 )

| | Vst 습니다/ㅂ니다 | Vst 어요/아요/여요 | Vst 었어요/았어요/였어요 |
|---|---|---|---|
| 맵다 | 맵습니다 | | |
| 덥다 | | | |
| 춥다 | | 추워요 | |
| 쉽다 | | | |
| 어렵다 | | | |
| 아름답다 | | | |
| *좁다 | | | |
| *입다 | | | |
| *잡다 | | | 잡았어요 |

**7.** 주어진 단어를 알맞게 고쳐 쓰십시오. ( 请用所给单词的适当形式填空。 )

저는 지난 주말에 에릭 씨 집에 갔어요.

날씨가 아주 ❶ 추웠어요. (춥다) 그래서 저는 코트를 ❷ ................. . (입다)

에릭 씨 방은 조금 ❸ ................. . (좁다)

우리는 떡볶이를 먹었어요. 떡볶이가 아주 ❹ ................. . (맵다)

떡볶이를 먹고 우리는 같이 숙제를 했어요.

단어는 ❺ ................. . (쉽다) 그래서 빨리 했어요.

하지만 문법은 ❻ ................. . (어렵다)

## 어휘와 문법

**1.** 다음 숫자를 한글로 쓰십시오. ( 请将下面的数字用韩文写出来。）

① 3월 1일입니다.　　　　　　　　➡ 삼월 일일입니다　　　　　　　　.

② 여기요, 불고기 5인분 주세요.　➡ _____.

③ 2006년 10월 6일에 한국에 왔어요. ➡ _____.

④ 우리 교실은 407호입니다.　　　➡ _____.

⑤ 교과서 73쪽을 보세요.　　　　➡ _____.

⑥ 오늘은 5과 4항을 공부하겠습니다. ➡ _____.

⑦ 1시 15분에 만나요.　　　　　➡ _____.

⑧ 지금은 12시 30분이에요.　　　➡ _____.

⑨ 18,500원이에요.　　　　　　　➡ _____.

⑩ 저 건물은 63층이에요.　　　　➡ _____.

**2.** 다음 단어 중에서 **관계없는** 것을 고르십시오. ( 请在下列单词中找出**无关**的一项。）

① 

| 월요일 | 봄 | 올해 | 근처 |

② 

| 내일 | 오늘 | 작년 | 모레 |

③ 

| 일 | 셋 | 육 | 구 |

④ 

| 일어나다 | 잠을 자다 | 이를 닦다 | 조용하다 |

⑤ 

| 맵다 | 짜다 | 살다 | 달다 |

**3.** 다음을 한 문장으로 만드십시오. ( 请将以下词语连成一句话。）

① 공부해요 / 도서관에서 / 친구가

➡ 친구가 도서관에서 공부해요 .

② 신문을 / 읽었어요 / 아침 8시에

➡ _____.

❸ 여름에 / 수영을 / 배웠어요 / 작년

➡ _____.

❹ 점심을 / 끝나고 / 수업이 / 먹어요

➡ _____.

❺ 일기를 / 세수하고 / 밤에 / 써요

➡ _____.

❻ 열심히 / 오후 1시까지 / 오전 11시부터 / 운동했어요

➡ _____.

**4.** 다음 이야기를 읽고 '-어요/아요/여요'를 사용해서 대화로 바꿔 쓰십시오. ( 请阅读下文，使用 "-어요/아요/여요" 将其改成对话形式。 )

> 오늘은 10월 8일입니다. 금요일입니다. 날씨가 시원하고 좋습니다.
> 저는 날마다 9시까지 학교에 갑니다. 9시부터 오후 1시까지 수업이 있
> 습니다. 저는 수업이 끝나고 PC방에서 일합니다. 어제는 일이 끝나고
> 친구를 만났습니다. 친구하고 영화를 보고 노래방에 갔습니다.

가 : 오늘이 몇 월 며칠이에요?

나 : ❶ ___10월 8일이에요___ .

가 : 목요일이지요?

나 : 아니요, ❷ _____.

가 : 아! 그래요. 날마다 몇 시까지 학교에 가세요?

나 : ❸ _____:

가 : ❹ _____?

나 : 9시부터 1시까지 수업이 있어요.

가 : ❺ _____?

나 : PC방에서 일해요.

가 : 어제는 일이 끝나고 뭘 했어요?

나 : ❻ _____.

가 : 친구하고 ❼ _____?

나 : ❽ _____:

**5.** 다음 질문을 듣고 알맞은 대답을 고르십시오. ( 请听录音，选择正确答案。)

1) (          )

❶ 네, 맵지요.

❷ 네, 매웠어요.

❸ 네, 아주 매워요.

❹ 네, 맵지 않아요.

2) (          )

❶ 시장에서 사요.

❷ 신촌에서 살아요.

❸ 서울에서 사세요.

❹ 부산에서 샀어요.

3) (          )

❶ 영화를 보겠어요.

❷ 텔레비전을 봤어요.

❸ 도서관에 가고 싶어요.

❹ 숙제를 하고 책을 읽어요.

**6.** 다음은 가수 시아 씨의 인터뷰입니다. 잘 듣고 질문에 대답하십시오. ( 以下是对歌手希亚的采访。请认真听录音，回答问题。 )

1) 시아 씨의 콘서트 날짜와 시간을 고르십시오. ( 请选择希亚开演唱会的日期和时间。 )
（　　　）

2) 들은 내용과 같으면 O, 다르면 X표 하십시오. ( 与所听内容一致请画○, 不一致请画×。 )

❶ 시아 씨는 작년에도 콘서트를 했습니다. 　　　　　（　　　）

❷ 일요일에는 콘서트가 없습니다. 　　　　　（　　　）

❸ 시아 씨는 오늘도 연습하겠습니다. 　　　　　（　　　）

3) 시아 씨는 이번 콘서트가 끝나고 무엇을 하겠습니까? ( 希亚开完演唱会会做什么呢？ )

**7.** 다음 글을 읽고 질문에 대답하십시오. ( 请阅读下文，回答问题。)

제레미 씨는 영국( 에, 에서) 왔습니다. 지금 한국 회사( 에, 에서 ) 다닙니다. 오전에는 연세대학교( 에, 에서 ) 한국말을 배웁니다. 오후( 에, 에는 ) 회사( 에, 에서 )갑니다. 회사( 에, 에서 ) 열심히 일합니다.

어제는 토요일이었습니다. 토요일( 에는, 에서는 ) 회사( 에, 에서 ) 가지 않습니다. 제레미 씨는 혼자 남산( 에, 에서 ) 갔습니다. 남산타워( 에, 에서 ) 서울을 보고 커피도 마셨습니다. 서울 시내( 에는, 에서는 ) 집도 많고 자동차도 많았습니다.

제레미 씨는 오후 1시( 에, 에서 ) 남산( 에, 에서 ) 내려왔습니다. 2시( 에, 에서 ) 집( 에, 에서 ) 왔습니다. 집( 에, 에서 ) 쉬었습니다.

1) 위 글의 (      )에 알맞은 조사를 고르십시오. ( 请在上文中选择适当的助词。)

2) 위 글의 내용과 같으면 O, 다르면 X표 하십시오. ( 与上文一致请画○，不一致请画×。)

❶ 제레미 씨는 회사원입니다.                              (        )

❷ 제레미 씨는 오전에 한국말을 공부합니다.              (        )

❸ 제레미 씨는 토요일에도 회사에 갑니다.                (        )

❹ 제레미 씨는 친구하고 같이 남산에 갔습니다.          (        )

❺ 제레미 씨는 한 시에 집에 왔습니다.                   (        )

3) 제레미 씨는 남산타워에서 무엇을 했습니까? ( 杰雷米在南山塔做了什么？)

4) 서울 시내가 어땠습니까? ( 首尔市区如何呢？)

**8.** 다음 [보기]와 같이 '-었어요/았어요/였어요'를 사용해서 이야기하십시오. ( 请仿照例子，使用 "-었어요/았어요/였어요" 进行口语问答练习。 )

| 한국에서의 첫날 | 첫 데이트 | 첫 해외여행 |
|---|---|---|
| [보기] | [보기] | [보기] |
| 언제 한국에 왔어요? | 언제 첫 데이트를 했어요? | 언제, 어디에 갔어요? |
| 그날 누구를 만났어요? | 어디에서 만났어요? | 누구하고 갔어요? |
| 그 날 뭘 먹었어요? | 무슨 이야기를 했어요? | 무엇이 재미있었어요? |

**9.** 다음 표의 질문으로 친구들과 이야기하십시오. ( 请用下表给出的问句和同伴进行口语问答练习。 )

| 질문 | 친구 1 | 친구 2 |
|---|---|---|
| 1) 오늘이 몇 월 며칠이에요? | | |
| 2) 무슨 요일이에요? | | |
| 3) 지금 몇 시예요? | | |
| 4) 날마다 몇 시에 일어나요? | | |
| 5) 아침에 뭘 먹었어요? | | |
| 6) 어제 몇 시부터 몇 시까지 숙제했어요? | | |
| 7) 숙제가 어렵지요? | | |
| 8) 숙제를 하고 뭘 했어요? | | |
| 9) 오늘 수업이 끝나고 뭘 하고 싶어요? | | |
| 10) 이번 주말에 뭘 하겠어요? | | |

Ⅰ. 다음에서 알맞은 조사를 골라 (    ) 안에 쓰십시오. (请选择适当的助词填入 (    ) 内。)

| 이/가 | 은/는 | 을/를 | 에 | 에서 | 도 | 께서 | 하고 | 부터~까지 |

1. 저(    ) 미국 사람(    ) 아닙니다. 영국(    ) 왔습니다.

2. 날씨(    ) 좋습니다. 공원(    ) 갈까요?

3. 내일은 도서관(    ) 공부하겠습니다.

4. 오늘은 바쁩니다. 주말(    ) 만납시다.

5. 할아버지(    ) 주무십니다.

6. 오전 9시(    ) 오후 1시(    ) 공부합니다.

7. 제(    ) 책(    ) 읽겠습니다.

8. 교실(    ) 학생들(    ) 많습니다.

9. 세브란스병원이 어디(    ) 있습니까?

10. 준코 씨는 불고기(    ) 비빔밥(    ) 좋아합니다. 냉면(    ) 좋아합니다.


Ⅱ. 다음 (    ) 안에 알맞은 단어를 고르십시오. (请选择适当的单词填入 (    ) 内。)

1. (    ) 뵙겠습니다. 제 이름은 김미선입니다.

   ❶ 조금          ❷ 처음          ❸ 가끔          ❹ 어서

2. 언니는 키가 (    ) 동생은 작습니다.

   ❶ 많고          ❷ 좋고          ❸ 쓰고          ❹ 크고

3. 소금 좀 주십시오. 국이 (    ).

   ❶ 십니다        ❷ 짭니다        ❸ 싱겁습니다     ❹ 맵습니다

4. 오늘 시간이 많습니다. 우리 집에 (    ).

   ❶ 가십시오      ❷ 오십시오      ❸ 계십시오       ❹ 만나십시오

5. 오늘은 일요일입니다. (    )은/는 토요일이었습니다.

   ❶ 어제          ❷ 내일          ❸ 작년          ❹ 지난 주

Ⅲ. 다음 ( ) 안에 들어갈 수 <u>없는</u> 단어를 고르십시오. ( 请选择<u>**不能**</u>填入（ ）内的单词。)

1. 한국 음식을 ( ).

　❶ 먹습니다　　❷ 닦습니다　　❸ 만듭니다　　❹ 좋아합니다

2. 미선 씨가 ( ).

　❶ 큽니다　　　❷ 좋습니다　　❸ 친절합니다　❹ 넓습니다

3. ( )을/를 합니다.

　❶ 일　　　　　❷ 숙제　　　　❸ 그림　　　　❹ 이야기

4. 한국 노래를 ( ) 듣습니다.

　❶ 아주　　　　❷ 많이　　　　❸ 가끔　　　　❹ 날마다

5. 꽃이 ( ) 예쁩니다.

　❶ 참　　　　　❷ 잘　　　　　❸ 모두　　　　❹ 아주

Ⅳ. 다음에서 알맞은 단어를 골라 ( ) 안에 쓰십시오. ( 请选择适当的单词填入（ ）内。)

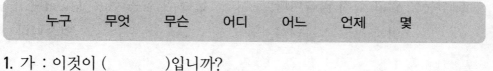

| 누구 | 무엇 | 무슨 | 어디 | 어느 | 언제 | 몇 |

1. 가 : 이것이 ( )입니까?
　나 : 교과서입니다.

2. 가 : 이 분이 ( )입니까?
　나 : 우리 선생님입니다.

3. 가 : 서점이 ( )에 있습니까?
　나 : 신촌 로터리에 있습니다.

4. 가 : ( ) 나라에서 왔습니까?
　나 : 일본에서 왔습니다.

5. 가 : (          ) 차를 마시고 싶습니까?

　　나 : 인삼차를 마시고 싶습니다.

6. 가 : 가족이 (          ) 명입니까?

　　나 : 다섯 명입니다.

7. 가 : (          ) 만날까요?

　　나 : 내일 만납시다.


Ⅴ. 다음 문장 중에서 맞는 것을 고르십시오. ( 请在下列句子中选择正确的一项。)

> [보기]　저가 책을 읽겠습니다.
> 　　　제가

1. 저는 회사원입니다.　　　　　　2. 누가 제임스 씨입니까?
　　　　있습니다.　　　　　　　　　　　누구가

3. 그 가수가 좋습니다.　　　　　　4. 제임스 씨는 갈비를 먹고 싶습니다.
　　　　좋아합니다.　　　　　　　　　　　　　먹고 싶어합니다.

5. 신문을 읽고 싶지 않습니다.　　6. 우리 집은 신촌에 입니다.
　　　　읽지 않고 싶습니다.　　　　　　　　　　있습니다.

7. 백화점에 가방을 사겠습니다.　8. 다음 주말에 공원에 갔습니다.
　백화점에서　　　　　　　　　　　　　　　　　가겠습니다.

9. 맛있게 드십시오.　　　　　　　10. 어제 영화를 봐요.
　　　　먹으십시오.　　　　　　　　　　　　봤어요.

Ⅵ. 다음 대화를 완성하십시오. ( 请完成下列对话。)

1. 가 : _____?

　　나 : 요시다 리에입니다.

**2.** 가 : 한국 사람입니까?

　　나 : 아니요, ........................................ .

**3.** 가 : ........................................ ?

　　나 : 교과서입니다.

**4.** 가 : 가방 안에 무엇이 있습니까?

　　나 : ........................ 하고 ............................... .

**5.** 가 : 영어 사전이 있습니까?

　　나 : 아니요, ........................................ .

**6.** 가 : 어디에 갑니까?

　　나 : ........................................ .

**7.** 가 : 내일 만날까요?

　　나 : 네, ........................................ .

**8.** 가 : 날씨가 춥습니까?

　　나 : 아니요, ........................................ .

**9.** 가 : 무슨 책을 읽고 싶습니까?

　　나 : ........................................ .

**10.** 가 : 뭘 드시겠습니까?

　　나 : ........................................ .

**11.** 가 : 고향이 어떻습니까?

　　나 : .................... 고 ........................... .

**12.** 가 : 내일 무엇을 하겠습니까?

　　나 : ........................................ .

**13.** 가 : _____?

　　 나 : 네, 불고기를 만드십시오.

**14.** 가 : _____?

　　 나 : 다섯 시 반이에요.

**15.** 가 : 오늘이 무슨 요일이에요?

　　 나 : _____.

**16.** 가 : _____?

　　 나 : 10월 10일이에요.

**17.** 가 : 지난 주말에 뭘 했어요?

　　 나 : _____.

**18.** 가 : 어제 누구하고 점심을 먹었어요?

　　 나 : _____.

**19.** 가 : 제주도가 어땠어요?

　　 나 : _____.

**20.** 가 : 날마다 아침을 먹고 뭘 해요?

　　 나 : _____.

**Ⅶ.** 주어진 동사를 알맞게 고쳐 쓰십시오. ( 请用所给动词的适当形式填空。 )

> **[보기]** 책상 위에 연필이 있습니다. (있다)

**1.** 영수 씨는 지금 부산에 _____.(살다)

**2.** 날마다 7시에 _____.(일어나다)

**3.** 부모님께서 중국에 _____.(있다)

**4.** 제임스 씨, 오늘은 제가 바쁩니다. 내일 _____.(만나다)

**5.** 할아버지께서 .................................(자다) 영수 씨, 조용히 .................................(하다)

**6.** 날씨가 좋습니다. 공원에서 같이 .................................? (산책하다)

**7.** 다음 주에 시험이 있습니다. 저는 내일부터 열심히 .................................(공부하다)

**8.** 일요일에는 학교에 .................................(가다) 집에서 쉽니다.

**9.** 지난 주에는 날씨가 .................................(덥다)

**10.** 어제 친구하고 맥주를 .................................(마시다)

**VIII.** 다음 숫자를 ( )안에 한글로 쓰고 알맞은 단어를 골라 밑줄에 쓰십시오. ( 请用韩文把以下数字写在 ( ) 内，并选择适当的单词写在横线处。)

| 개 잔 병 그릇 인분 | [보기] 가방이 3( 세 ) 개 있습니다. |
|---|---|

**1.** 불고기 3( ) ................................. 주십시오.

**2.** 사과 5( ) ................................. 하고 배 4( ) ................................. 주십시오.

**3.** 날마다 커피를 2( ) ................................. 마십니다.

**4.** 여기요, 냉면 1( ) ................................. 주세요.

**5.** 어제 친구들하고 소주를 7( ) ................................. 마셨어요.

**IX.** 다음 문장을 '-어요/아요/여요'로 바꿔 쓰십시오. ( 请把下列句子改写成 "-어요/아요/여요" 的形式。)

저는 독일 사람입니다. 저는 지난 달에 한국에 왔습니다.
　❶ ( )　　　　　　　❷ ( )

한국 생활이 아주 재미있습니다.
　　　　　❸ ( )

한국 음식이 맛있고 한국 사람들이 친절합니다.
　　　　　　　❹ ( )

저는 한국말을 잘 하고 싶습니다.
　　❺ ( )

그래서 연세대학교에서 한국말을 배웁니다.
　　　　　　❻ ( )

최 선생님이 가르치십니다. 선생님이 좋습니다.
　　❼ ( )　　　❽ ( )

한국말 문법은 어렵습니다. 숙제도 많습니다. 같이 공부할까요?
　　❾ ( )　　❿ ( )

（填字游戏。）

| 1. | 2. |  |  | 4. |  | 5. |  |  |  |
|----|----|----|----|----|----|----|----|----|----|
|  | 3. |  |  |  |  | 6. | 7. |  |  |
|  |  |  |  | 12. | 13. |  |  |  |  |
| 8. |  |  |  | 14. | 15. |  |  |  |  |
| 9. | 10. |  |  |  |  |  |  | 23. | 24. |
|  | 11. |  |  | 19. |  |  |  |  |  |
|  |  |  |  | 20. | 21. |  |  | 25. |  |
| 16. | 17. |  |  |  | 22. |  |  |  |  |
|  | 18. |  |  |  |  |  |  |  |  |

[가로 열쇠] (横向线索)

1. 연세대학교 ............... 에 이화여자대학교가 있습니다.

3. 라디오에서 나옵니다. 이것을 듣고 춤을 춥니다.

4. 부모님은 ............... 하고 어머니입니다.

6. 여기에는 책이 많고 학생들이 공부합니다.

9. 제 ............... 은/는 경제학입니다.

11. 9시 ............... 10시까지 공부합니다.

12. 여기에서 회사원이 일합니다.

14. 달고 맛있습니다. 아이들이 좋아합니다.

16. ............... 물 좀 주십시오.

18. 저는 영화를 좋아합니다. 그래서 ............... 극장에 갑니다.

20. 이 날은 파티를 하고 케이크를 먹습니다.

22. 여기에서 밥을 먹습니다.

23. 이 나라는 유럽에 있습니다. 맥주하고 소시지가 맛있습니다.

25. 어제, 오늘 그리고 ...............

[세로 열쇠] (纵向线索)

2. 안녕하십니까? ............... 뵙겠습니다.

5. 이것을 보고 길을 찾습니다.

7. 한국의 수도입니다. 여기에 인사동하고 남대문이 있습니다.

8. 단어를 모릅니다. 이것을 찾습니다.

10. 다음 주에 시험이 있습니다. 학생들이 열심히 ............... 합니다.

13. 과일입니다. 빨간색입니다. 가을에 납니다.

15. 국수입니다. 까만색입니다. 중국 음식입니다.

17. 신문사에서 일합니다. 기사를 씁니다.

19. 선생님은 가르치고 ............... 은/는 배웁니다.

21. 스시, 우동, 오뎅은 ............... 입니다.

24. 토요일 다음 날입니다.

## 6과 1항

### 어휘

**1.** 관계있는 단어를 연결하고 질문에 대답을 쓰십시오. ( 请把相关的单词用线连接起来并回答问题。)

| 가 | 나 | 질문 : 어디에서 무엇을 삽니까? |
|---|---|---|
| 과일 가게 • | • 티셔츠 | ❶ 옷 가게에서 티셔츠를 삽니다 . |
| 빵 가게 • | • 사과 | ❷ ............................ . |
| 편의점 • | • 공책 | ❸ ............................ . |
| 옷 가게 • | • 케이크 | ❹ ............................ . |
| 문방구 • | • 장미꽃 | ❺ ............................ . |
| 꽃 가게 • | • 라면 | ❻ ............................ . |

### 문법

#### AVst 으러/러

**2.** 다음 미선 씨의 계획표를 보고 '-으러/러'를 사용해서 문장을 완성하십시오. ( 请看美善的计划表，使用 "-으러/러" 完成句子。)

| 일요일 | 월요일 | 화요일 | 수요일 | 목요일 | 금요일 | 토요일 |
|---|---|---|---|---|---|---|
| 오후 어머니를 돕다 (집) | 7:00 pm 마리아 씨를 만나다 (독수리 커피숍) | 6:00 pm 중국어를 배우다 (연세중국어학원) | 9:00 pm 영화를 보다 (신촌극장) | 오전 책을 읽다 (도서관) | 저녁 생선회를 먹다 (일식집) | 오후 리에 씨와 놀다 (롯데월드) |

❶ 일요일 오후    어머니를 도우러 일찍 집에 와요 .

❷ 월요일 7시    ............................ .

❸ 화요일 6시    ............................ .

❹ 수요일 9시    ............................ .

❺ 목요일 오전    ............................ .

❻ 금요일 저녁    ............................ .

❼ 토요일 오후    ............................ .

**3.** 다음 그림을 보고 [보기]에서 알맞은 문장을 골라 영수의 일기를 완성하십시오. ( 请看图，选择适当的句子完成英秀的日记。 )

[보기]　공부를 하다　　장미꽃을 사다　　점심을 먹다　　케이크를 만들다
　　　　저를 돕다　　　　생일 선물을 사다　　생일 파티를 하다

---

　2007년 5월 26일 맑음

　어제는 여자 친구 생일이었습니다. 그래서 아주 바빴습니다. 아침에는 학교에 ❶ 공부를 하러 ~~으러~~/러 갔습니다. 수업이 끝나고 학생 식당에 ❷ ＿＿＿＿＿＿＿＿ 으러/러 갔습니다. 빨리 점심을 먹고 백화점에 ❸ ＿＿＿＿＿＿ 으러/러 갔습니다. 백화점에서 지갑을 하나 샀습니다. 그리고 꽃 가게에 ❹ ＿＿＿＿＿＿ 으러/러 갔습니다. 여자 친구가 22살입니다. 그래서 장미꽃 22송이를 샀습니다. 여자 친구 생일 케이크는 사지 않고 제가 만들고 싶었습니다. 그래서 ❺ ＿＿＿＿＿＿ 으러/러 집에 왔습니다. 미선 씨도 ❻ ＿＿＿＿＿＿ 으러/러 우리 집에 왔습니다. 우리는 케이크를 다 만들고 여자 친구 집에 ❼ ＿＿＿＿＿＿ 으러/러 갔습니다.

YONSEI KOREAN 1 WORKBOOK

## N 과/와 N

**4.** 다음 이야기를 읽고 알맞은 조사를 고르십시오. ( 请阅读下文，选择正确的助词。 )

어제 미선 씨( 과, (와)) 저는 쇼핑을 하러 백화점에 갔습니다. 백화점 1층 ( 과, 와 ) 2층에는 옷 가게가 있었고 3층에는 식당이 있었습니다. 우리는 미선 씨 바지( 과, 와 ) 티셔츠를 사러 2층에 갔습니다. 옷이 아주 비쌌습니다. 우리는 밥을 먹으러 3층에 갔습니다. 3층에는 한식집( 과, 와 ) 일식집이 있었습니다. 우리는 갈비( 과, 와 ) 냉면을 먹고 싶었습니다. 그래서 한식집에 갔습니다. 그런데 음식 값도 너무 비쌌습니다. 내일은 동생 ( 과, 와 ) 같이 동대문시장에 가겠습니다.

**5.** 다음 표를 보고 수진 씨를 소개하십시오. ( 请根据下表介绍一下秀珍。 )

| 가족 | 음식 | 취미 | 여행 | 공부 |
|------|------|------|------|------|
| 부모님, 언니, 수진 | 스파게티, 냉면, 김치찌개 | 수영, 스키, 여행 | 중국, 호주, 캐나다 | 컴퓨터공학, 생물학 |

❶ 수진 씨 가족은 <u>부모님과 언니와 수진 씨</u> 모두 4명입니다.

❷ 수진 씨는 _____ 을/를 자주 먹습니다.

❸ 수진 씨 취미는 _____ 입니다.

❹ 수진 씨는 _____ 을/를 여행했습니다.

❺ 수진 씨는 _____ 을/를 공부하고 싶어합니다.

## 어휘

**1.** 다음 질문에 알맞은 답을 [보기]에서 골라 쓰십시오. ( 请选择适当的答案回答问题。 )

| [보기] | 빨간색 | 파란색 | 노란색 | 하얀색 | 까만색 |
|---|---|---|---|---|---|

| | |
|---|---|
| 1) 여러분은 무슨 색을 좋아하십니까? | 파란색, |
| 2) 여러분은 지금 무슨 색 옷을 입었습니까? | |
| 3) 여러분은 무슨 색 장미꽃을 사고 싶습니까? | |
| 4) 여러분은 무슨 색 자동차를 사고 싶습니까? | |
| 5) 여러분 나라 국기에는 무슨 색이 있습니까? | |

**2.** 다음 질문을 읽고 여러분의 생각에 ✔ 표 하십시오. ( 请阅读以下问题，在自己认为正确的答案后面画✔。 )

| 질문 | 대답 | | | |
|---|---|---|---|---|
| 1) 쉬는 시간이 10분입니다. | 길다 ☐ | | 짧다 ✔ | |
| 2) 여러분의 몸은 어떻습니까? | 튼튼하다 ☐ | | 약하다 ☐ | |
| 3) 한국어 교과서는 어떻습니까? | 얇다 ☐ | | 두껍다 ☐ | |
| 4) 여러분의 가방은 어떻습니까? | 가볍다 ☐ | | 무겁다 ☐ | |
| 5) 삼겹살 일인분에 5000원입니다. | 싸다 ☐ | | 비싸다 ☐ | |
| 6) 집에서 학교까지 30분 걸립니다. | 가깝다 ☐ | | 멀다 ☐ | |

## Vst 지만

**3.** 남편과 아내는 생각이 다릅니다. 아내의 생각에 '-지만'을 사용해서 다음 표의 문장을 완성하십시오. ( 夫妻想法不同。请仿照例子，使用 "-지만" 完成下表。)

| | | |
|---|---|---|
| | | |
| 1) 집이 좁다 / 깨끗하다 | 집이 좁아요. | 집이 좁지만 깨끗해요. |
| 2) 책상이 무겁다 / 튼튼하다 | | |
| 3) 옷이 두껍다 / 따뜻하다 | | |
| 4) 음식이 비싸다 / 맛있다 | | |
| 5) 영화가 길다 / 재미있다 | | |

**4.** 다음 문장을 완성하십시오. ( 请完成下列句子。)

❶ 도시는 공기가 나쁘지만 시골은 공기가 좋아요                          .

❷ 단어는 쉽지만 문법은                                                          .

❸ 동대문시장은 물건이 싸지만 백화점은                                      .

❹ 여자들은 쇼핑을 좋아하지만 남자들은                                      .

❺ 한국 사람들은 매운 음식을 잘 먹지만                                      .

❻                                              지만                          .

## DVst 은/ㄴ N

**5.** 두 문장을 한 문장으로 만드십시오. (请将两句话连成一句。)

| 가 | 나 | DVst 은/ㄴ N |
|---|---|---|
| 비싸요. | 바지를 샀어요. | ❶ 비싼 바지를 샀어요 . |
| 커요. | 집에서 살고 싶어요. | ❷ . |
| 많아요. | 사람이 은행에 있어요. | ❸ . |
| 좋아요. | 책을 읽으세요. | ❹ . |
| 머리가 길어요. | 여자를 좋아해요. | ❺ . |
| 더워요. | 날씨가 싫어요. | ❻ . |
| 가고 싶어요. | 나라가 어디예요? | ❼ ? |

| 가 | 나 | 있는 / 없는 N |
|---|---|---|
| 여기에 있어요. | 가방이 제 가방이에요. | ❽ 여기에 있는 가방이 제 가방이에요 . |
| 교실에 없어요. | 학생이 누구예요? | ❾ ? |
| 맛있어요. | 음식을 먹고 싶어요. | ❿ . |
| 재미없어요. | 영화를 봤어요. | ⓫ . |

**6.** 다음 표의 단어로 질문을 만들고 대답을 쓰십시오. (请使用下表所给的词语写出问句并回答。)

| | 우리 반에서 _____ 은/ㄴ 학생은 누구예요? | 대답 |
|---|---|---|
| 1) 키가 크다 | 우리 반에서 키가 큰 학생은 누구예요? | 제임스 씨 |
| 2) 머리가 짧다 | | |
| 3) 집이 멀다 | | |
| 4) 바쁘다 | | |
| 5) 재미있다 | | |
| 6) 친구가 많다 | | |

❶ 우리 반에서 키가 큰 학생은 제임스 씨예요.

❷ 우리 반에서 _____.

❸ _____.

❹ _____.

❺ _____.

❻ _____.


**7.** 다음 대화를 완성하십시오. ( 请完成下列对话。 )

❶ 가 : 어떤 음악을 자주 듣습니까?

　　나 : 저는 조용한 음악을 자주 듣습니다.

| 조용하다 | 시끄럽다 |
|---|---|

❷ 가 : 어떤 음식을 잘 먹습니까?

　　나 : _____.

| 맵다 | 달다 |
|---|---|

❸ 가 : 어떤 영화를 좋아하지 않습니까?

　　나 : _____.

| 무섭다 | 슬프다 |
|---|---|

❹ 가 : 어떤 친구를 좋아하십니까?

　　나 : _____.

| 똑똑하다 | 재미있다 |
|---|---|

❺ 가 : 어떤 날씨가 싫습니까?

　　나 : _____.

| 덥다 | 춥다 |
|---|---|

❻ 가 : 어떤 자동차를 사고 싶습니까?

　　나 : _____.

| 작고 예쁘다 | 크고 멋있다 |
|---|---|

**8.** 다음 표를 완성하십시오. ( 请完成下面表格。 )

| | −습니까?/ㅂ니까? | −어요/아요/여요 | −은/ㄴ |
|---|---|---|---|
| 빨갛다 | 빨갛습니까? | 빨개요 | 빨간 |
| 파랗다 | | | |
| 노랗다 | | | |
| 하얗다 | | | |
| 까맣다 | | | |
| 어떻다 | | | |
| 이렇다 | | | |
| 저렇다 | | | |
| 그렇다 | | | |

**9.** 주어진 단어를 알맞게 고쳐 쓰십시오. ( 请用所给单词的适当形式填空。 )

주인 : 어서 오십시오.

영수 : 장미꽃 있어요?

주인 : 네, 있습니다. ❶ __어떤__ (어떻다) 장미꽃을 드릴까요?

영수 : ❷ _____ (노랗다) 색 장미꽃 있어요?

주인 : 아니요, ❸ _____ (빨갛다) 색하고 ❹ _____ (하얗다) 색
　　　　장미꽃만 있어요.

영수 : 여자 친구가 ❺ _____ (그렇다) 색은 안 좋아해요.

주인 : 그럼, ❻ _____ (노랗다) 색 튤립은
　　　　❼ _____ 어요?/아요?/여요? (어떻다)

영수 : 제 여자 친구는 튤립을 좋아하지 않아요.

주인 : 아, ❽ _____ 어요?/아요?/여요? (그렇다)

영수 : 죄송합니다. 다음에 다시 오겠습니다. 안녕히 계세요.

주인 : 네, 안녕히 가세요.

어휘

**1.** 관계있는 단어를 연결하고 쓰십시오. ( 请用线连接相关的单词并写出来。 )

| 자동차 | 마리 | 책 | 병 | 켤레 |
|--------|------|-----|------|------|
| 잔 | 빵 | 자루 | 장미꽃 | |
| 연필 | 대 | 권 | 생선 | 벌 |
| 커피 | 개 | 송이 | 콜라 | |
| 옷 | 표 | 장 | 신발 | |

❶ 자동차 한 대
❷
❸
❹
❺
❻
❼
❽
❾
❿
⓫

**2.** 다음 그림을 보고 질문을 만드십시오. 그리고 대답을 쓰십시오. ( 请看图写问句并回答。 )

| | 이/가 몇 있어요? | 대답 |
|---|---|---|
| | 1) 빵이 몇 개 있어요? | 네 개 있어요. |
| | 2) | |
| | 3) | |
| | 4) | |
| | 5) | |
| | 6) | |

## 문법

### AVst 어/아/여 주다

**3.** 다음을 바꿔 쓰십시오. ( 请改写下列句子。 )

| | -어/아/여 드릴까요? | -어/아/여 주세요 |
|---|---|---|
| 1) 아이스크림을 사다 | 아이스크림을 사 드릴까요? | 아이스크림을 사 주세요. |
| 2) 불을 켜다 | | |
| 3) 칠판에 쓰다 | | |
| 4) 천천히 말하다 | | |
| 5) 문을 닫다 | | |
| 6) 케이크를 만들다 | | |

**4.** 다음 그림을 보고 보기에서 알맞은 문장을 골라 대화를 완성하십시오. ( 请看图，选择适当的句子完成对话。 )

[보기]  돈을 빌리다          일을 돕다          가방을 들다
　　　 사진을 찍다          창문을 열다        전화번호를 가르치다

## 어휘

**1.** 다음 그림을 보고 글자판에서 알맞은 단어를 찾아 쓰십시오. ( 请看图，在字表中找出适当的单词。)

| 손 | 수 | 건 | 인 | 화 | 장 | 품 |
|---|---|---|---|---|---|---|
| 울 | 령 | 타 | 액 | 색 | 김 | 실 |
| 신 | 상 | 성 | 세 | 만 | 년 | 필 |
| 불 | 품 | 걸 | 서 | 억 | 심 | 객 |
| 탈 | 권 | 핀 | 리 | 빈 | 향 | 수 |
| 인 | 형 | 설 | 꽃 | 다 | 발 | 소 |

| ❶ | ❷ | ❸ | ❹ | ❺ | ❻ |
|---|---|---|---|---|---|
| 손수건 | | | | | |

**2.** 무엇을 선물하고 싶습니까? 다음 [보기]의 단어들을 사용해서 대답을 쓰십시오. ( 想送什么礼物呢？请使用下列单词填写答案。)

| [보기] | 인형 | 향수 | 상품권 | 꽃다발 |
|---|---|---|---|---|
| | 손수건 | 화장품 | 만년필 | 액세서리 |

| 할머니 | 아버지 | 어머니 | 언니/누나 | 오빠/형 | 동생 | 선생님 | 남자/여자 친구 |
|---|---|---|---|---|---|---|---|
| | | 꽃다발 | | | | | |

## N 에게

**3.** 다음 이야기를 완성하십시오. ( 请完成下文。)

어제는 크리스마스였습니다. 저는 가족들( 에게 ) 선물을 했습니다. 아버지(              ) 모자를 드렸습니다. 어머니(              ) 화장품을 드렸습니다. 동생(              ) 인형을 줬습니다. 그리고 부산에 사시는 할머니 (              ) 전화를 드렸습니다. 할머니께서 아주 좋아하셨습니다. 저녁에는 여자 친구를 만났습니다. 여자 친구가 저(              ) 크리스마스 카드와 선물을 줬습니다. 저도 여자 친구(              ) 예쁜 꽃과 선물을 줬습니다. 어제는 아주 행복한 크리스마스였습니다.

## AVst 은/ㄴ  N │ AVst 는 N │ AVst 을/ㄹ N

**4.** 다음 빈칸을 채우십시오. ( 请填空。)

|  | -은/ㄴ | -는 | -을/ㄹ |
|---|---|---|---|
| 사다 | 산 |  |  |
| 하다 |  | 하는 |  |
| 먹다 |  |  | 먹을 |
| 읽다 |  |  |  |
| 살다 |  |  |  |
| 만들다 |  |  |  |

**5.** 두 문장을 한 문장으로 만드십시오. ( 请将两句话连成一句。 )

| 가 | 나 | AVst 은/ㄴ N |
|---|---|---|
| 일본에서 왔어요. | 다나카예요. | ❶ 일본에서 온 다나카예요 . |
| 이것은 어제 배웠어요. | 단어예요. | ❷ . |
| 전화를 했어요. | 사람이 누구예요? | ❸ ? |
| 노란 옷을 입었어요. | 여자가 제 친구예요. | ❹ . |
| 제가 만들었어요. | 케이크를 먹었어요? | ❺ ? |
| 숙제를 하지 않았어요. | 학생이 많아요. | ❻ . |

**6.** 지난 일요일에 우리 반 친구들이 한 일입니다. 문장을 완성하십시오. ( 以下是上周日我们班同学做的事情。请完成下列句子。 )

| 친구 이름 | 무엇을 했어요? | AVst은/ㄴ 사람은 _____ 씨예요. | |
|---|---|---|---|
| 존슨 | 영화를 봤어요. | ❶ 영화를 본 | 사람은 존슨 씨예요. |
| 미라 | 노래방에 갔어요. | ❷ | 사람은 미라 씨예요. |
| 후엔 | 갈비를 먹었어요. | ❸ | 사람은 후엔 씨예요. |
| 피터 | 수영을 했어요. | ❹ | |
| 유미 | 소설책을 읽었어요. | ❺ | |

**7.** 두 문장을 한 문장으로 만드십시오. ( 请将两句话连成一句。 )

| 가 | 나 | AVst 는 N |
|---|---|---|
| 커피를 마셔요. | 사람이 많아요. | ❶ 커피를 마시는 사람이 많아요 . |
| 저기에서 공부해요. | 사람이 미선 씨예요. | ❷ . |
| 지금 읽어요. | 책이 소설책이에요. | ❸ . |
| 신촌에 살아요. | 학생이 있어요? | ❹ ? |
| 친구를 도와 줘요. | 것을 좋아해요. | ❺ . |
| 담배를 피우지 않아요. | 사람이 누구예요? | ❻ ? |

**8.** 다음 질문에 대답을 쓰고 문장으로 쓰십시오. (请回答下列问题并写出完整的句子。)

| 질문 | 대답 | AVst 는 N은/는 N입니다. |
|---|---|---|
| 1) 날마다 무슨 차를 마십니까? | 녹차 | 날마다 마시는 차는 녹차입니다. |
| 2) 어느 식당에 자주 갑니까? | | |
| 3) 무슨 음식을 잘 만들어요? | | |
| 4) 지금 무슨 책을 읽습니까? | | |
| 5) 어떤 한국 노래를 알아요? | | |

**9.** 두 문장을 한 문장으로 만드십시오. (请将两句话连成一句。)

| 가 | 나 | AVst 을/ㄹ N |
|---|---|---|
| 오늘 하겠어요. | 일이 많아요. | ❶ 오늘 할 일이 많아요            . |
| 동생에게 주겠어요. | 선물을 샀어요. | ❷ _____ . |
| 저녁에 먹겠어요. | 음식이 없어요. | ❸ _____ . |
| 서울에 살겠어요. | 집이 있어요? | ❹ _____ . |
| 제가 돕겠어요. | 일이 있어요? | ❺ _____ ? |
| 내일 오지 않겠어요. | 사람이 누구예요? | ❻ _____ ? |

**10.** 다음 질문에 대답을 쓰고 문장으로 쓰십시오. (请回答下列问题并写出完整的句子。)

| 질문 | 대답 | AVst 을/ㄹ N은/는 N입니다. |
|---|---|---|
| 1) 방학에 어디에 가겠습니까? | 제주도 | 방학에 갈 곳은 제주도입니다. |
| 2) 어머니께 무슨 선물을 드리겠습니까? | | |
| 3) 주말에 무슨 영화를 보겠습니까? | | |
| 4) 저녁에 무슨 음식을 만들겠습니까? | | |
| 5) 10년 후에 어디에서 살겠습니까? | | |

**11.** 다음을 한 문장으로 만드십시오. ( 请将两句话连成一句。 )

➊ 그 분은 압니다. / 사람입니다.

   ➜ 그 분은 아는 사람입니다             .

➋ 외국에 있습니다. / 동생을 보고 싶습니다.

   ➜                          .

➌ 공부하겠습니다. / 시간이 없습니다.

   ➜                          .

➍ 어제 만났습니다. / 사람이 누구예요?

   ➜                          ?

➎ 좋습니다. / 책을 읽으세요.

   ➜                          .

➏ 영어를 배우겠습니다. / 학생이 몇 명입니까?

   ➜                          ?

➐ 아침에 먹었습니다. / 빵이 참 맛이 있었습니다.

   ➜                          .

➑ 이것은 어렵습니다. / 문법입니다.

   ➜                          .

➒ 김치를 좋아합니다. / 외국인이 많습니까?

   ➜                          ?

## 어휘와 문법

1. 다음에서 <u>관계없는</u> 단어를 하나 고르십시오. ( 请在下列单词中找出<u>无关</u>的一项。)

❶
| 상품권 | 화장품 | 목걸이 | 옷 가게 |
|---|---|---|---|

❷
| 빨갛다 | 파랗다 | 어떻다 | 하얗다 |
|---|---|---|---|

❸
| 가볍다 | 드리다 | 두껍다 | 무겁다 |
|---|---|---|---|

❹
| 빵 가게 | 편의점 | 문방구 | 꽃다발 |
|---|---|---|---|

❺
| 신발 | 켤레 | 마리 | 송이 |
|---|---|---|---|

2. 다음 [보기]에서 알맞은 말을 <u>한 번씩만</u> 골라 (          )안에 쓰십시오. ( 请选择适当的词填入
（ ）内，每个<u>仅限一次</u>。)

[보기]  그리고    그런데    그래서    그렇지만    그럼

❶ 저는 회사원입니다. (   그런데   ) 유진 씨는 직업이 무엇입니까?

❷ 그 식당은 음식이 맛있습니다. (          ) 값도 쌉니다.

❸ 아침에 배가 아팠습니다. (          ) 병원에 갔습니다.

❹ 저에게 돈을 주십시오. (          ) 제가 어머니께 드릴 선물을 사겠습니다.

❺ 내일 시험을 봅니다. (          ) 공부를 하지 않았습니다.

**3.** 다음 이야기를 읽고 알맞은 조사를 고르십시오. ( 请阅读下文，选择适当的助词。)

> 오늘 저( 은, 는 ) 여자 친구 ( 과, 와 ) 데이트( 을, 를 ) 하러 극장
> ( 에, 에서 ) 갔습니다. 그런데 돈( 이, 가 ) 천 원 있었습니다. 저( 은,
> 는 ) 빨리 극장 옆 꽃 가게( 에, 에서 ) 가서 장미꽃( 을, 를 ) 한 송이
> 샀습니다. 그리고 여자 친구( 에게, 께 ) 선물했습니다. 여자 친구( 은,
> 는 ) 선물( 을, 를 ) 받고 아주 좋아했습니다. 그리고 저( 에게, 께 ) 영
> 화표 ( 과, 와 ) 저녁( 을, 를 ) 사 주었습니다. 오늘 저( 은, 는 ) 돈이
> 없었지만 여자 친구( 과, 와 ) 재미있는 데이트( 을, 를 ) 했습니다.

**4.** 다음 [보기]에서 알맞은 단어를 골라 (       ) 안에 쓰십시오. ( 请选择适当的单词填入
(   )内。)

> [보기]  켤레   권   마리   명   분   자루   대   벌

❶ 개를 한 (   마리   ) 사고 싶습니다.

❷ 책상 위에 책이 세 (        ) 있습니다.

❸ 연필 다섯 (        ) 주십시오.

❹ 교실에는 선생님 한 (        )하고 학생 열 (        )이/가 있습니다.

❺ 백화점에서 옷 한 (        )하고 구두 한 (        )을/를 샀습니다.

❻ 존슨 씨 집에는 자동차가 두 (        ) 있습니다.

**5.** 다음 대화를 완성하십시오. ( 请完成下列对话。)

❶ 가 : 누구에게 전화를 했어요?

　나 : 부모님께 전화를 했어요_____.

❷ 가 : 김치찌개 맛이 어때요?

　나 : _____지만 _____.

❸ 가 : 어디에 가세요?

　나 : _____으러/러 _____.

❹ 가 : 무엇을 도와 드릴까요?

　나 : _____ 어/아/여 주세요.

❺ 가 : 어떤 여자를 좋아하세요?

　나 : _____.

**6.** 주어진 단어를 알맞게 고쳐 다음 편지를 완성하십시오. ( 请用所给单词的适当形式填空，完成下面的书信。 )

어머니께

어머니, 그동안 잘 지내셨어요? 저는 아주 잘 있습니다.

한국 생활도 재미있고 한국어 공부도 열심히 합니다.

우리 반에는 ❶ 재미있는 (재미있다) 학생들이 많습니다. 제가 우리 반 친구들을 소개하겠습니다. 호주에서 ❷ _____ (오다) 제니 씨는 춤을 잘 ❸ _____ (추다) 사람입니다. 노래를 ❹ _____ (잘 하다) 산디 씨는 프랑스 사람입니다. 한국 친구가 ❺ _____ (많다) 다나카 씨는 일본에서 왔습니다. 작년에 ❻ _____ (결혼하다) 홍 씨는 베트남 사람입니다. 홍 씨는 ❼ _____ (예쁘다) 딸과 ❽ _____ (잘 생기다) 남편이 있습니다. 내년에 대학원에 ❾ _____ (가다) 왕하 씨는 중국 사람입니다. 아주 열심히 ❿ _____ (공부하다) 학생입니다. 어제는 이 친구들이 우리집에 놀러 왔습니다. 친구들은 제가 ⓫ _____ (만들다) 김밥을 먹고 ⓬ _____ (재미있다) 이야기도 많이 했습니다. 다음 주에는 부산에 ⓭ _____ (계시다) 할머니를 만나러 가겠습니다. 부산에는 ⓮ _____ (보다) 것이 많습니다.

어머니, 이번 여름 방학에는 미국에 돌아가겠습니다.

그 때까지 안녕히 계십시오.

2007년 4월 3일

아들 스티브 올림

**7.** 다음 대화를 듣고 질문에 맞는 대답을 고르십시오. ( 请听录音，选择正确的答案。)

1) 두 사람이 오후에 가지 <u>않는</u> 곳은 어디입니까? ( 二人下午将<u>不去</u>哪里? ) (　　)

❶ 학교 　　　　❷ 꽃 가게 　　　　❸ 빵집 　　　　❹ 문방구

2) 이 손님은 어떤 치마를 샀습니까? ( 这位客人买了什么样的裙子? ) (　　)

❶ 빨간색 긴 치마 　　　　　　　❷ 노란색 긴 치마

❸ 빨간색 짧은 치마 　　　　　　❹ 노란색 짧은 치마

3) 생선 값은 모두 얼마입니까? ( 鱼一共多少钱? )

❶ 4,000원 　　　❷ 5,000원 　　　❸ 8,000원 　　　❹ 10,000원

**8.** 다음 대화를 듣고 질문에 대답하십시오. ( 请听录音，回答问题。)

1) 다음 [보기]에서 이름을 골라 그림에 학생들의 이름을 쓰십시오. ( 请选择学生姓名填在 图片中。)

[보기] 학생 이름 : 왕빈　　피터　　톰　　제인　　요코　　미나

2) 들은 내용과 같으면 O, 다르면 X표 하십시오. ( 与所听内容一致请画○，不一致请画×。)

❶ 왕빈 씨는 자주 교실에서 잠을 잡니다. 　　　　　　　　(　　)

❷ 피터 씨는 미국에 있는 여자 친구에게 자주 전화를 합니다. (　　)

❸ 커피를 마시는 여학생이 왕빈 씨 여자 친구입니다. 　　　(　　)

**9.** 다음 글을 읽고 질문에 대답하십시오. ( **请阅读下文，回答问题。** )

우리 집 앞에는 큰 쇼핑몰이 있습니다. 작년에 어머니하고 쇼핑몰에 갔습니다. 1층에는 과일 가게와 빵 가게와 꽃 가게가 있었고 2층에는 옷 가게와 문방구가 있었습니다. 그리고 3층에는 약국과 병원이 있었습니다. 저는 오늘 언니와 같이 동생 생일 선물을 사러 쇼핑몰에 갔습니다. 우리는 빵 가게에서 작은 케이크를 한 개 샀습니다. 그리고 꽃 가게에서 장미꽃도 열 송이 샀습니다. 과일은 사지 않았습니다. 우리는 생일 선물로 줄 공책과 필통을 사러 문방구에 갔습니다. 그런데 2층에 문방구가 없었습니다. 그리고 신발 가게가 있었습니다. 우리는 신발 가게에 갔습니다. 동생은 파란색을 좋아합니다. 그런데 파란색 운동화는 없었습니다. 그래서 하얀색 운동화를 한 켤레 샀습니다. 그리고 옆에 있는 옷 가게에 가서 파란색 셔츠도 한 벌 샀습니다.

1) 지금 쇼핑몰에 있는 가게는 O, 없는 가게는 X표 하십시오. 그리고 몇 층에 있습니까? ( 以下店铺，购物商城中现在有的请画〇，没有的请画×。如果有，分别在几层？ )

| 빵 가게 | 신발 가게 | 편의점 | 옷 가게 | 문방구 | 병원 |
|---------|-----------|--------|---------|--------|------|
| 〇 |  |  |  |  |  |
| 1층 |  |  |  |  |  |

2) 다음 중 동생 생일 선물로 산 것은 무엇입니까? ( 作为弟弟的生日礼物买了什么？ )

3) 위 글의 내용과 같으면 O, 다르면 X표 하십시오. ( 与上文内容一致请画〇，不一致请画×。)

❶ 동생과 같이 생일 선물을 사러 갔습니다.　　　　　　(　　　　)

❷ 빵 가게에서 큰 케이크를 샀습니다.　　　　　　　　(　　　　)

❸ 하얀색 운동화와 파란색 셔츠를 샀습니다.　　　　　(　　　　)

**10.** 다음 그림을 보고 손님과 주인이 되어 [보기]와 같이 이야기 하십시오. ( 请看下图，扮演一下客人和商店老板，仿照例子与同伴进行口语问答练习。）

[보기] 손님 : 장미꽃 좀 보여 주세요.

주인 : 네, 구경하세요.

손님 : 노란색 장미꽃은 없어요?

주인 : 네, 없어요. 이 노란색 튤립은 어때요?

손님 : 그건 한 송이에 얼마예요?

주인 : 2,000원이에요.

손님 : 좀 비싸요. 깎아 주세요.

주인 : 그럼, 1,900원 주세요.

손님 : 알겠습니다. 튤립 10송이 주세요.

**11.** 다음 표의 질문으로 친구들과 이야기하십시오. ( 用下表给出的问句与同伴进行口语问答
练习。)

| 질문 | 친구 1 | 친구 2 |
|---|---|---|
| 1) 한국 친구가 많습니까? | | |
| 2) 어떤 친구를 좋아합니까? | | |
| 3) 한국말을 가르쳐 주는 친구가 있습니까? | | |
| 4) 그 친구에게 주고 싶은 선물이 있습니까? | | |
| 5) 자주 쇼핑을 하러 가는 곳이 어디입니까? | | |
| 6) 누구와 같이 쇼핑하러 갑니까? | | |
| 7) 무슨 색 옷을 좋아합니까? | | |
| 8) 고향에 계시는 부모님께 무슨 선물을 사 드리고 싶습니까? | | |

# 당신은 무슨 띠입니까? ( 你是什么属相? )

| | | | |
|---|---|---|---|
| 쥐 | 소 | 호랑이 | 토끼 |
| 1960년생, 1972년생 1984년생, 1996년생 | 1961년생, 1973년생 1985년생, 1997년생 | 1962년생, 1974년생 1986년생, 1998년생 | 1963년생, 1975년생 1987년생, 1999년생 |
| 용 | 뱀 | 말 | 양 |
| 1964년생, 1976년생 1988년생, 2000년생 | 1965년생, 1977년생 1989년생, 2001년생 | 1966년생, 1978년생 1990년생, 2002년생 | 1967년생, 1979년생 1991년생, 2003년생 |
| 원숭이 | 닭 | 개 | 돼지 |
| 1968년생, 1980년생 1992년생, 2004년생 | 1969년생, 1981년생 1993년생, 2005년생 | 1970년생, 1982년생 1994년생, 2006년생 | 1971년생, 1983년생 1995년생, 2007년생 |

다음의 두 띠들은 서로 잘 맞아요.  다음의 두 띠들은 서로 잘 안 맞아요.

1. 여러분은 무슨 띠입니까? ( 各位是什么属相? )
2. 돼지띠인 사람들은 올해 몇 살입니까? 모두 한글로 쓰십시오. ( 属猪的人今年多大? 请全部用韩文写出来。 )
3. 올해 태어난 아이는 무슨 띠입니까? ( 今年出生的孩子是什么属相? )
4. 오빠 생일이 1980년 5월 30일입니다. 오빠는 무슨 띠입니까? 오빠에게는 무슨 띠 여자 친구가 잘 맞습니까? ( 哥哥的生日是1980年5月30日。 请问哥哥属什么? 什么生肖的女友适合哥哥? )

# 제7과 교통

## 7과 1항

### 어휘

**1.** 다음 그림을 보고 [보기]에서 알맞은 단어를 골라 (        ) 안에 쓰십시오. （请看图，选择适当的单词填入（ ）内。）

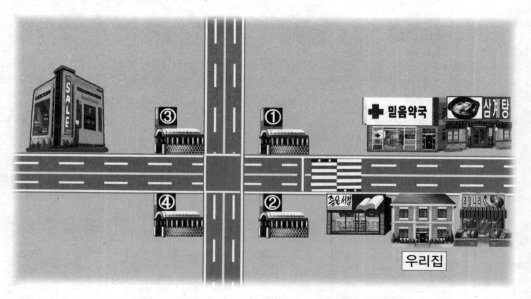

[보기] 왼쪽     오른쪽     건너편     똑바로     지하도     육교     횡단보도

우리 집 ❶( 오른쪽 )에 과일 가게가 있습니다.

❷(          )에는 서점이 있습니다.

❸(          )에는 약국하고 한식집이 있습니다.

저는 약을 사러 약국에 갑니다. ❹(          )으로/로 길을 건넙니다.

약을 사고 백화점에 가겠습니다. ❺(          )으로/로 건넙니다.

3번 출구로 나갑니다. 그리고 ❻(          ) 갑니다.

## N 으로/로

**2.** 다음 (    ) 안에 알맞은 조사를 쓰십시오. ( 请在 (  ) 内填写适当的助词。)

❶ 오른쪽(  으로  ) 가십시오.

❷ 저는 을지로(      ) 갑니다.

❸ 2층(       ) 올라가십시오.

❹ 신촌역 3번 출구(       ) 나가십시오.

❺ 이 버스는 잠실(       ) 갑니다.

❻ 내일 미국(       ) 돌아가겠습니다.

**3.** 다음 그림을 보고 [보기 1]과 [보기 2]에서 알맞은 단어를 골라 문장으로 쓰십시오. ( 请 看图，在[选项1]和[选项2]中选择适当的单词完成句子。)

| [보기1] | 왼쪽 | 오른쪽 | 똑바로 | [보기2] | 가다 | 나가다 |
|---|---|---|---|---|---|---|
| | 1층 | 1번 출구 | | | 내려가다 | 돌아가다 |

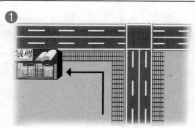

❶

가 : 이 근처에 서점이 있어요?

나 : 네, 있어요.

　　 왼쪽으로 돌아가세요 ~~으세요/세요~~.

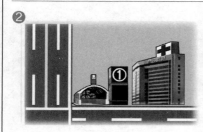

❷

가 : 병원에 어떻게 가요?

나 : ................................................ 으세요/세요.

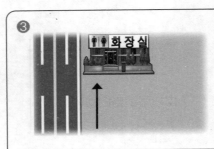

③

가 : 화장실이 어디에 있어요?

나 : ........................................................... 으세요/세요.

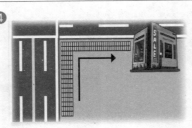

④

가 : 백화점이 어디에 있어요?

나 : ........................................................... 으세요/세요.

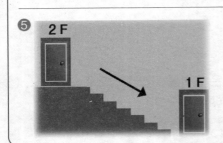

⑤

가 : 사무실이 어디에 있어요?

나 : ........................................................... 으세요/세요.

**4.** 다음 [보기]와 같이 출발 에서 시작해서 화살표(→)의 방향을 쓰십시오. 그리고 찾은 글자로 단어를 만들어서 밑줄에 쓰십시오. (请仿照例子，从"出发"开始，顺着箭头（➡）的方向找对应的字。并用找出的字组词写在横线处。)

| 호 | 등 | 송 | 니 | 호 | 요 | 서 |
|---|---|---|---|---|---|---|
| 세 | 다 | 고 | 속 | 습 | 사 | 선 |
| 오 | 죄 | 하 | 찌 | 컴 | 문 | 퓨 |
| 신 | 국 | 출발 | 우 | 남 | 전 | 어 |
| 녕 | 리 | 님 | 학 | 개 | 기 | 교 |
| 순 | 말 | 사 | 겠 | 번 | 화 | 과 |
| 스 | 시 | 공 | 버 | 부 | 수 | 항 |

[보기] ( → 3 )  오른쪽으로 세 칸 가십시오.  전

( ↓ 2 )  아래로 두 칸 내려 가십시오.  화

( ← 1 )  왼쪽으로 한 칸 가십시오.  번

( ↑ 5 )  위로 다섯 칸 올라가십시오.  호

전화번호

❶ ( ↓ 3 )  ⋯⋯⋯⋯⋯⋯⋯⋯⋯⋯⋯⋯ .  ☐

( → 4 )  ⋯⋯⋯⋯⋯⋯⋯⋯⋯⋯⋯⋯ .  ☐

_____

❷ ( ← 2 )  ⋯⋯⋯⋯⋯⋯⋯⋯⋯⋯⋯⋯ .  ☐

( ↑ 3 )  ⋯⋯⋯⋯⋯⋯⋯⋯⋯⋯⋯⋯ .  ☐

( → 1 )  ⋯⋯⋯⋯⋯⋯⋯⋯⋯⋯⋯⋯ .  ☐

_____

❸ ( ↑ 2 )  ⋯⋯⋯⋯⋯⋯⋯⋯⋯⋯⋯⋯ .  ☐

( → 1 )  ⋯⋯⋯⋯⋯⋯⋯⋯⋯⋯⋯⋯ .  ☐

( ↓ 5 )  ⋯⋯⋯⋯⋯⋯⋯⋯⋯⋯⋯⋯ .  ☐

( ← 3 )  ⋯⋯⋯⋯⋯⋯⋯⋯⋯⋯⋯⋯ .  ☐

_____

## AVst 어서/아서/여서

5. 관계있는 문장을 연결하고 한 문장으로 쓰십시오. (请把相关的句子用线连接起来，并组成一个句子。)

① 학교에 옵니다 •　　　　　　• 집에서 봅니다

② 똑바로 가십시오 •　　　　　　• 친구들과 먹었습니다

③ 비디오를 빌립니다 •　　　　　　• 한국말을 배웁니다

④ 불고기를 만들었습니다 •　　　　• 왼쪽으로 돌아가십시오

⑤ 편지를 썼습니다 •　　　　　　• 운동을 하겠습니다

⑥ 일찍 일어나겠습니다 •　　　　　• 고향 친구에게 보냈습니다


① 학교에 와서 한국말을 배웁니다 .

② .

③ .

④ .

⑤ .

⑥ .

**6.** 다음 이야기를 읽고 '-어서/아서/여서'를 사용해서 대화를 완성하십시오. ( 请阅读下文，使用 "-어서/아서/여서" 完成对话。)

---

오늘 리사 씨는 친구 줄리아 씨 집에 갔습니다.

리사 씨는 지하철을 타고 신림역에서 내렸습니다.

3번 출구로 나왔습니다.

리사 씨는 횡단보도를 건넜습니다.

그리고 오른쪽으로 갔습니다. 거기에 시장이 있었습니다.

리사 씨는 시장에서 여러가지 야채를 샀습니다.

줄리아 씨 집은 시장 근처에 있는 꽃집 3층에 있었습니다.

리사 씨는 줄리아 씨 집에서 야채 샐러드를 만들었습니다.

두 사람은 샐러드를 먹고 비디오 가게에 갔습니다.

재미있는 비디오를 빌렸습니다.

그리고 줄리아 씨 집에서 같이 봤습니다.

---

(리사 씨가 줄리아 씨에게 전화합니다.)

리사 : 줄리아 씨, 줄리아 씨 집에 어떻게 가요?

줄리아 : ❶ 신림역에서 ___내려서 ~~어서/아서/여서~~___ 3번 출구로 나가세요.
~~으세요/세요~~

❷ 그리고 횡단보도를 _____ 어서/아서/여서 _____
으세요/세요.

거기에 시장이 있어요. 시장 근처에 있는 꽃집 3층이 우리 집이에요.

리사 : 점심을 먹고 갈까요?

줄리아 : ❸ 아니요, 우리 집에 _____ 어서/아서/여서 _____
으세요/세요.

❹ 야채 샐러드를 _____ 어서/아서/여서 _____ 읍시다/ㅂ시다.

리사 : ❺ 그럼 제가 시장에 _____ 어서/아서/여서 야채를 사겠어요.

줄리아 : 점심을 먹고 뭘 할까요?

리사 : ❻ _____ 어서/아서/여서 _____ 읍시다/ㅂ시다.

**7.** 다음 글을 읽고 맞는 것을 고르십시오. ( 请阅读下文，选择正确答案。 )

6월 23일 수요일 비 ☂

나는 오늘 남자 친구를 ( 만나서, 만나고 ) 영화를 봤습니다.

어제 산 예쁜 원피스를 ( 입어서, 입고 ) 나갔습니다.

어머니가 사 주신 빨간색 가방도 ( 들어서, 들고 ) 갔습니다.

우리는 명동까지 지하철을 ( 타서, 타고 ) 갔습니다.

지하철에는 사람이 많았습니다.

나는 ( 앉아서, 앉고 ) 갔지만 남자 친구는 ( 서서, 서고 ) 갔습니다.

지하철에서 ( 내려서, 내리고 ) 극장까지 많이 걸었습니다.

영화는 아주 슬펐습니다. 나는 영화를 ( 봐서, 보고) 울었습니다.

나중에 비디오를 ( 빌려서, 빌리고 ) 다시 보고 싶었습니다.

영화가 ( 끝나서, 끝나고 ) 이탈리아 식당으로 갔습니다.

스파게티를 ( 먹어서, 먹고 ) 커피도 마셨습니다.

그리고 우리는 밖으로 ( 나가서, 나가고 ) 꽃집에 갔습니다.

남자 친구가 장미꽃을 ( 사서, 사고 ) 저에게 주었습니다.

저는 아주 기뻤습니다.

## 어휘

**1.** 관계있는 단어를 연결하십시오. ( 请把相关的单词用线连接起来。)

❶ KTX •       • 배

❷ 2호선 •       • 기차

❸ 타이타닉호 •       • 지하철

❹ KAL 573편 •       • 버스

❺ 9701번 •       • 비행기

## 문법

### N으로/로

**2.** 다음 그림을 보고 대답하십시오. ( 请看图回答问题。)

가 : 신촌에서 강남까지 어떻게 가요?

나 : 지하철로 가요           .

가 : 부산에 어떻게 가요?

나 :                         .

가 : 어느 나라 말로 이야기해요?

나 :                         .

안녕하세요?

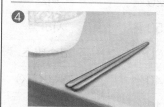
가 : 일본 음식은 무엇으로 먹어요?

나 :                         .

⑤

가 : 책상은 무엇으로 만들어요?

나 : _____.

⑥

가 : 공책에 무엇으로 써요?

나 : _____.

**3.** 다음 이야기를 완성하십시오. ( 请完成下文。 )

저는 날마다 <u>지하철로</u> ~~으로/로~~ 회사에 갑니다.

회사에서는 사람들과 _____ 으로/로 이야기합니다.

12시에 점심을 먹으러 _____ 으로/로 갑니다.

저는 식당에서 _____ 으로/로 만든 삼계탕을 자주 먹습니다.

삼계탕은 _____ 으로/로 먹습니다.

점심을 먹고 열심히 일합니다.

저녁에는 집에 돌아와서 가족과 친구들에게 _____ 으로/로 연락합니다.

## N에서 N까지

**4.** 다음 표를 보고 대화를 완성하십시오. ( 请看下表完成对话。 )

|  | 출발 시간 | 도착 시간 | 교통수단 |
|---|---|---|---|
| ❶ 집 → 학교 | 8 : 30 | 8 : 45 | 걸어서 |
| ❷ 신촌 → 명동 | 10 : 00 | 10 : 20 | 버스 |
| ❸ 명동 → 잠실 | 11 : 20 | 11 : 50 | 지하철 |
| ❹ 서울 → 강릉 | 9 : 30 | 13 : 00 | 고속버스 |
| ❺ 서울 → 부산 | 6 : 00 | 8 : 40 | 기차(KTX) |
| ❻ 인천 → 상하이 | 19 : 10 | 20 : 10 | 비행기 |

❶ 가 : 집에서 학교까지 얼마나 걸려요?

　나 : <u>걸어서 15분쯤 걸려요</u>.

❷ 가 : 신촌 <u>　　　　</u> 명동 <u>　　　　</u> 몇 분쯤 걸려요?

　나 : <u>　　　　　　　　　　　　　　　　　</u>.

❸ 가 : 명동 <u>　　　</u> 잠실 <u>　　　　　　　　</u>?

　나 : <u>　　　　　　　　　　　　　　　　　</u>.

❹ 가 : <u>　　　　　　　　　　　　　　　　　</u>?

　나 : 고속버스로 3시간 반 걸려요.

❺ 가 : <u>　　　　　　　　　　　　　　　　　</u>?

　나 : <u>　　　　　　　　　　　　　　　　　</u>.

❻ 가 : <u>　　　　　　　　　　　　　　　　　</u>?

　나 : <u>　　　　　　　　　　　　　　　　　</u>.

## Vst 어서/아서/여서

**5.** 다음을 한 문장으로 만드십시오. ( 请将两句话连成一句。 )

❶ 배가 고픕니다. / 식당에 갑니다.

➡ <u>배가 고파서 식당에 갑니다</u>.

❷ 오늘은 일요일입니다. / 늦게 일어났습니다.

➡

<u>　　　　　　　　　　　　　　　　　</u>.

❸ 피곤합니다. / 쉬고 싶습니다.

➡

<u>　　　　　　　　　　　　　　　　　</u>.

❹ 옷을 많이 입었습니다. / 춥지 않습니다.

➡

<u>　　　　　　　　　　　　　　　　　</u>.

❺ 어제는 머리가 아팠습니다. / 학교에 안 갔습니다.

➡

<u>　　　　　　　　　　　　　　　　　</u>.

❻ 늦었습니다. / 죄송합니다.

➡

<u>　　　　　　　　　　　　　　　　　</u>.

**6.** 다음 그림을 보고 대답하십시오. ( 请看图回答问题。)

① 가 : 왜 회사에 안 가요?

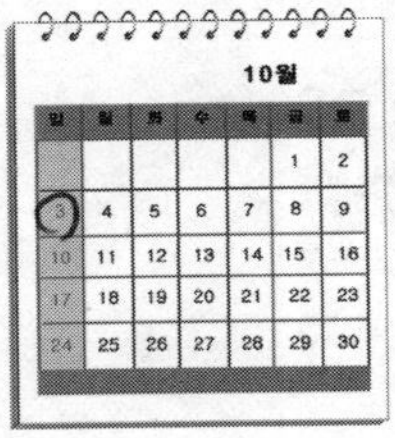

나 : <u>일요일이어서</u> ~~어서/아서/여서~~  <u>안 가요.</u>

② 가 : 왜 김치를 안 먹어요?

나 : _____ 어서/아서/여서 _____.

③ 가 : 왜 그 식당에 자주 가요?

나 : _____ 어서/아서/여서 _____.

④ 가 : 왜 큰 자동차를 샀어요?

나 : _____.

⑤ 가 : 왜 머리가 아파요?

나 : _____.

⑥ 가 : 왜 회사에 늦게 왔어요?

나 : _____.

**7.** 다음 그림을 보고 [보기]의 단어를 사용해서 대답하십시오. (请看图，使用下面所列词语回答问题。)

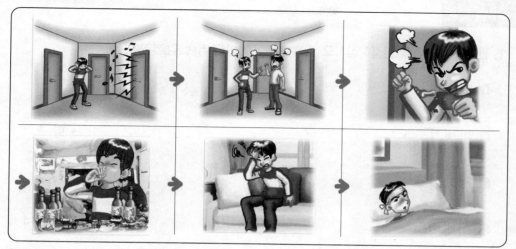

| [보기] | 시끄럽다 | 싸우다 | 파티를 하다 |
|---|---|---|---|
| | 술을 마시다 | 머리가 아프다 | 기분이 나쁘다 |

❶ 가 : 왜 오늘 학교에 안 왔어요?

　나 : 머리가 아파서 안 갔어요                          .

❷ 가 : 왜 머리가 아팠어요?

　나 : ........................................................... .

❸ 가 : 왜 술을 마셨어요?

　나 : ........................................................... .

❹ 가 : 왜 기분이 나빴어요?

　나 : ........................................................... .

❺ 가 : 왜 친구와 싸웠어요?

　나 : ........................................................... .

❻ 가 : 왜 옆 방이 시끄러웠어요?

　나 : ........................................................... .

## 어휘

**1.** 관계있는 단어를 연결하십시오. ( 请把相关的单词用线连接起来。 )

❶ 배 •　　　　　　　　　　　　　　　　　• 역

❷ 비행기 •　　　　　　　　　　　　　　　• 항구

❸ 지하철 •　　　　　　　　　　　　　　　• 공항

❹ 시내버스 •　　　　　　　　　　　　　　• 정류장

❺ 고속버스 •　　　　　　　　　　　　　　• 터미널

**2.** 다음 [보기]에서 알맞은 단어를 골라 (　　　　) 안에 쓰십시오. ( 请选择适当的单词填入 (　) 内。 )

> [보기]　　역　　공항　　정류장　　터미널　　타다　　내리다　　갈아타다

❶ 강남 고속버스 (　터미널　)에는 꽃 시장도 있어요.

❷ 3시 비행기를 (　　　　　)으러/러 (　　　　　　)에 가요.

❸ 을지로 3가 (　　　　　)에 지하철 2호선과 3호선이 있습니다.

　거기에서 지하철을 (　　　　)으세요/세요

❹ 다음 (　　　　　)은/는 연세대학교입니다.

　버스에서 (　　　　)을/ㄹ 분은 벨을 누르십시오.

## 문법

### Vst으니까/니까

**3.** 다음을 한 문장으로 만드십시오. ( 请将两句话连成一句。 )

❶ 내일 시험이 있습니다. / 열심히 공부하세요.

　➡ 내일 시험이 있으니까 열심히 공부하세요.

❷ 목이 마릅니다. / 콜라를 마실까요?

➡ ............................................................ ?

❸ 날씨가 좋습니다. / 밖에 나갑시다.

➡ ............................................................ .

❹ 오늘은 바쁩니다. / 내일 만납시다.

➡ ............................................................ .

❺ 방이 더럽습니다. / 청소하십시오.

➡ ............................................................ .

❻ 지하철역이 멉니다. / 택시를 탈까요?

➡ ............................................................ ?

**4.** '-으니까/니까'를 사용해서 다음 대화를 완성하십시오. ( 请使用 "-으니까/니까" 完成对话。)

(에릭 씨가 미선 씨에게 전화합니다.)

에릭 : 미선 씨, 오늘 만날까요?

미선 : 네, 오늘은 ❶ <u>한가하니까</u> <s>으니까/니까</s> 11시에 만나요.

에릭 : 어디에 갈까요?

미선 : ❷ ......................... 으니까/니까 올림픽공원 수영장에 가요.

에릭 : 거기까지 어떻게 갈까요?

미선 : ❸ ......................... 으니까/니까 택시를 타요.

(에릭 씨와 미선 씨는 수영을 했습니다. 지금은 오후 1시입니다.)

에릭 : 미선 씨, 점심을 먹을까요?

미선 : 네, ❹ ......................... 으니까/니까 점심을 먹어요.

에릭 : 뭘 먹을까요?

미선 : ❺ ......................... 으니까/니까 ......................... 어요/아요/여요.

에릭 : 점심을 먹고 뭘 할까요?

미선 : ❻ ......................................................... .

YONSEI KOREAN 1 WORKBOOK

**5.** 다음 문장이 맞으면 O, 틀리면 X표 하십시오. ( 判断句子正误，正确的画○，错误的画×。 )

❶ 아이가 자니까 조용히 하세요.                           (   ○   )

❷ 수업이 끝나니까 점심을 먹을까요?                      (       )

❸ 이 영화가 재미없으니까 보지 마십시오.                 (       )

❹ 시간이 없어서 내일 만납시다.                          (       )

❺ 만나서 반가워요.                                      (       )

❻ 비가 와서 우산을 가지고 가세요.                       (       )


## AVst 지 말다

**6.** '−지 말다'를 사용해서 다음 문장을 바꿔 쓰십시오. ( 请使用 "−지 말다" 改写句子。 )

❶ 마리  : 저는 학교에 늦게 오지 않습니다.

　　　　　수지 씨, <u>늦게 오지 마십시오</u>.

　　　　　우리 모두 <u>늦게 오지 맙시다</u>.


❷ 진수  : 저는 담배를 피우지 않습니다.

　　　　　스티브 씨, ＿＿＿＿＿＿＿＿＿＿＿.

　　　　　우리 모두 ＿＿＿＿＿＿＿＿＿＿＿.


❸ 피터  : 저는 수업 시간에 떠들지 않습니다.

　　　　　샤오밍 씨, ＿＿＿＿＿＿＿＿＿＿＿.

　　　　　우리 모두 ＿＿＿＿＿＿＿＿＿＿＿.


❹ 줄리아 : 저는 교실에서 영어로 말하지 않습니다.

　　　　　에릭 씨, ＿＿＿＿＿＿＿＿＿＿＿.

　　　　　우리 모두 ＿＿＿＿＿＿＿＿＿＿＿.

⑤ 리키 : 저는 수업 시간에 전화하지 않습니다.

요코 씨,                          .

우리 모두                        .

**7.** 샤오밍 씨가 마리 씨 집에 갔습니다. 마리 씨는 오늘 기분이 좋지 않습니다. 다음 대화를 완성하십시오. ( 小明去了玛丽的家。玛丽今天心情不好。请完成下列对话。 )

> 샤오밍 : 마리 씨, 같이 한국말을 공부할까요?
>
> 마리    : 아니요, ❶      공부하지 맙시다         .
>
> 샤오밍 : 그럼 텔레비전을 볼까요?
>
> 마리    : 아니요, ❷                       .
>
> 샤오밍 : 그럼 제가 재미있는 이야기를 할까요?
>
> 마리    : 아니요, ❸                       .
>
> 샤오밍 : 그럼 날씨가 좋으니까 밖에 나갈까요?
>
> 마리    : 아니요, ❹                       .
>
> 샤오밍 : 그럼 제가 맛있는 음식을 만들까요?
>
> 마리    : 아니요, ❺                       .
>
> 샤오밍 : 그럼 제가 집에 갈까요?
>
> 마리    : 네, ❻                       .

### 어휘

**1.** 다음 [보기]에서 알맞은 단어를 골라 (       ) 안에 쓰십시오. (请选择适当的单词填入（  ）内。)

[보기]  직진    우회전    좌회전    신호등    사거리    세우다    출발하다

❶ 보통 (    사거리    )은/는 교통이 복잡합니다.

❷ 횡단보도에서 (            )을/를 보고 건넙니다.

❸ 오른쪽에 약국이 있습니다. (            )하십시오.

❹ 저 앞에 백화점이 있습니다. 돌지 말고 (            )하십시오.

❺ 왼쪽에 있는 골목으로 (            )해서 들어가세요.

그리고 빵집 앞에 (            )어/아/여 주세요.

❻ 버스가 곧 (            )으니까/니까 빨리 타세요.

**2.** 다음 그림을 보고 손님이 가는 정류장의 번호를 찾아 쓰십시오. (请看图写出乘客要去的车站号码。)

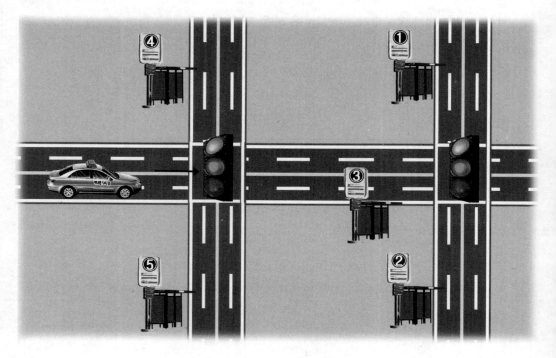

❶ 사거리에서 직진해서 버스 정류장 앞에 세워 주세요.    (  3  )

❷ 사거리에서 우회전해서 버스 정류장 앞에 세워 주세요.    (       )

❸ 사거리에서 좌회전해서 버스 정류장 앞에 세워 주세요.    (       )

❹ 사거리에서 직진하세요. 다음 사거리에서 좌회전해서 버스 정류장 앞에 세워 주세요.    (       )

❺ 사거리에서 직진하세요. 다음 사거리에서 우회전해서 버스 정류장 앞에 세워 주세요.    (       )

## 문법

### ㄷ 불규칙 용언

**3.** 다음 표를 완성하십시오. ( 请完成下面表格。)

|  | Vst 습니다 /ㅂ니다 | Vst 어요 /아요/여요 | Vst 었어요 /았어요/였어요 | Vst 으세요 /세요 | Vst 을까요? /ㄹ까요? |
|---|---|---|---|---|---|
| 걷다 | 걷습니다 |  |  |  | 걸을까요? |
| 듣다 |  |  | 들었어요 |  |  |
| 묻다 |  |  |  | 물으세요 |  |
| 신다 |  | 신어요 |  |  |  |
| *받다 |  |  | 받았어요 |  |  |
| *닫다 |  |  |  |  |  |
| *믿다 |  |  |  |  | 믿을까요? |

**4.** 주어진 동사를 알맞게 고쳐 쓰십시오. ( 请用所给动词的适当形式填空。)

❶ 어제 많이  <u>걸어서</u>  어서/아서/여서 다리가 아파요.    (걷다)

❷ 좋은 음악을 _____ 을까요?/ㄹ까요?    (듣다)

❸ 친구에게 전화번호를 _____ 었어요/았어요/였어요. (묻다)

❹ 차에 짐을 _____ 으세요/세요.    (싣다)

❺ 어제 편지를 _____ 었어요/았어요/였어요.    (받다)

❻ 저는 그 사람을 _____ 어요/아요/여요.    (믿다)

## 르 불규칙 용언

**5.** 다음 표를 완성하십시오. ( 请完成下面表格。 )

|  | Vst 습니다/ㅂ니다 | Vst 어요/아요/여요 | Vst 었어요/았어요/였어요 | Vst 어서/아서/여서 | Vst 으니까/니까 |
|---|---|---|---|---|---|
| 고르다 | 고릅니다 |  |  |  |  |
| 다르다 |  | 달라요 |  |  |  |
| 모르다 |  |  |  | 몰라서 |  |
| 빠르다 |  |  | 빨랐어요 |  |  |
| 부르다 |  |  |  |  | 부르니까 |
| 자르다 |  |  |  |  |  |

**6.** 다음 문장의 밑줄 친 부분을 고쳐 쓰십시오. ( 请改正句中画线的部分。 )

❶ 한국말은 영어와 달르니까 열심히 공부하세요.

　　　　　→ 다르니까

❷ 누가 이 시계를 골렀어요?

❸ 그 사람을 모라서 인사를 안 했어요.

❹ 지하철이 복잡하지만 빠라요.

❺ 무슨 노래를 불를까요?

❻ 머리를 자라 주세요.

## 어휘와 문법

**1.** 다음 단어 중에서 <u>관계없는</u> 것을 고르십시오. ( 请在下列单词中找出<u>无关</u>的一项。)

❶
| 자전거 | 대사관 | 지하철 | 비행기 |

❷
| 역 | 공항 | 아파트 | 터미널 |

❸
| 직진 | 육교 | 지하도 | 횡단보도 |

❹
| 왼쪽 | 오래 | 우회전 | 똑바로 |

❺
| 2호선 | 신호등 | 3번 출구 | 갈아타는 곳 |

**2.** 다음 [보기]에서 알맞은 단어를 골라 밑줄에 쓰십시오. ( 请选择适当的单词完成句子。)

| [보기] | 걷다 | 건너다 | 걸리다 | 비키다 |
| | 세우다 | 갈아타다 | 도착하다 | 출발하다 |

❶ 아저씨, 저 육교 앞에 <u>세워</u> 어/아/여 주세요.

❷ 여기에는 횡단보도가 없어요. 지하도로 _____으세요/세요.

❸ 실례합니다. 다음에 내리니까 좀 _____ 어/아/여 주세요.

❹ 이 버스는 신촌까지 안 가요. 다음 정류장에서 내려서 지하철로 _____으세요/세요.

❺ 집에서 학교까지 _____ 어서/아서/여서 10분쯤 _____ 어요/아요/여요.

❻ 비행기가 오전 9시에 _____ 어서/아서/여서 오후 2시에 _____ 었어요/았어요/였어요.

**3.** 다음 중에서 **틀린** 문장을 고르십시오. ( 请找出句子**有误**的一项。 )

1) (　　3　　)

　❶ 배가 고파서 밥을 먹었습니다.

　❷ 숙제가 없어서 기분이 좋습니다.

　❸ 날씨가 추워서 밖에 나가지 맙시다.

　❹ 비가 와서 우산을 가지고 갔습니다.

2) (　　　　)

　❶ 잠옷을 입고 자요.

　❷ 교과서를 가지고 학교에 와요.

　❸ 그 이야기를 듣고 놀랐습니다.

　❹ 버스에서 내리고 왼쪽으로 가세요.

3) (　　　　)

　❶ 오른쪽으로 가지 마세요.

　❷ 버스로 타고 학교에 와요.

　❸ 교실에서는 한국말로 말해요.

　❹ 불고기는 무엇으로 만듭니까?

4) (　　　　)

　❶ 김밥을 사서 먹었어요.

　❷ 가방을 들어서 여행갔어요.

　❸ 아침에 일어나서 세수해요.

　❹ 길을 건너서 똑바로 가세요.

5) (　　　　)

　❶ 비싸니까 사지 맙시다.

　❷ 시간이 없으니까 빨리 하세요.

　❸ 그 영화가 재미없으니까 보지 마세요.

　❹ 어제 운동을 많이 하니까 오늘은 쉬세요.

**4.** 다음 문장을 완성하십시오. ( 请完成下列句子。 )

1) 비가 오고 　바람도 불어요　.

　　비가 오지만 _____.

　　비가 와서 _____.

　　비가 오니까 _____.

2) 지하철이 빠르고 _____.

　　지하철이 빠르지만 _____.

　　지하철이 빨라서 _____.

　　지하철이 빠르니까 _____.

3) 남대문시장이 싸고 _____.

　　남대문시장이 싸지만 _____.

　　남대문시장이 싸서 _____.

　　남대문시장이 싸니까 _____.

**5.** 다음 대화를 완성하십시오. ( 请完成下列对话。 )

　　(리에 씨는 종로에서 친구를 만났습니다. 같이 영화를 보고 신촌에 있는 기숙사에 돌아갑니다. 종로에서 택시를 타고 20분쯤 걸려서 연세대학교에 갑니다.)

기사 : 손님, 어디로 갈까요?

리에 : ❶ 　신촌으로　 으로/로 　갑시다　.

　　　　여기에서 ❷ _____ 까지 얼마나 걸려요?

기사 : ❸ _____.

　　　　손님, 종로에서 뭘 하셨어요?

리에 : ❹ _____ 어서/아서/여서 _____.

기사 : 그 영화가 재미있어요? 저도 볼까요?

리에 : 네, ❺ _____ 으니까/니까 _____.

기사 : 에어컨을 켤까요?

리에 : 아니요, ❻ _____ 으니까/니까 _____.

(잠시 후)

기사 : 학교 안으로 들어갈까요?

리에 : 네, ❼ _____ 으니까/니까 _____.

기사 : 자, 도착했습니다. 요금은 5,300원입니다.

Y O N S E I　K O R E A N　1　W O R K B O O K

**6.** 다음 문장을 듣고 알맞은 대답을 고르십시오. ( 请听录音，选择正确答案。)

1) (　　　　)

　❶ 어딜 찾으세요?　　　　　　　❷ 어디에 갔어요?

　❸ 네, 길 좀 물으세요.　　　　　❹ 네, 여기 세워 주세요.

2) (　　　　)

　❶ 오래 걸어요.　　　　　　　　❷ 30분쯤 걸려요.

　❸ 5,000원 걸려요.　　　　　　❹ 지하도로 건너세요.

3) (　　　　)

　❶ 네, 닫습니다.　　　　　　　　❷ 네, 닫겠습니다.

　❸ 아니요, 안 닫았습니다.　　　　❹ 아니요, 닫지 마십시오.

**7.** 다음 대화를 듣고 질문에 대답하십시오. ( 请听录音，回答问题。)

1) 다음 약도에서 제임스 씨 집을 찾으십시오. ( 请从简图中找出詹姆斯的家。)

　❶ 가　　　　　　❷ 나　　　　　　❸ 다　　　　　　❹ 라

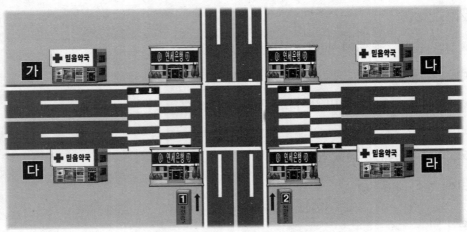

2) 들은 내용과 같으면 O, 다르면 X표 하십시오. ( 与所听内容一致请画○，不一致请画×。)

　❶ 제임스 씨는 음식을 많이 만들었습니다.　　　　　(　　　　　)

　❷ 리에 씨는 맥주를 가지고 가겠습니다.　　　　　　(　　　　　)

　❸ 리에 씨는 케이크를 가지고 가겠습니다.　　　　　(　　　　　)

**8.** 다음 글을 읽고 질문에 대답하십시오. ( 请阅读下文，回答问题。)

> 피터 씨는 부산에 삽니다. 지난 주말에는 혼자 제주도로 여행을 갔습니다.
> 돈이 없어서 배로 갔습니다. 저녁 7시에 부산에서 출발했습니다.
> 제주도까지는 배로 11시간 걸렸습니다.
> 다음 날 아침에 배에서 내려서 버스를 타고 민박집에 갔습니다.
> 민박집에서 김치와 햄으로 김치볶음밥을 만들어서 먹었습니다.
> 배가 고파서 많이 먹었습니다.
> 밥을 먹고 수영을 하러 바다에 갔습니다.
> 민박집에서 바다까지는 멀었습니다.
> 피터 씨는 길을 잘 몰라서 사람들에게 물었습니다.
> 제주도 바다는 부산 바다와 아주 달랐습니다.
> 피터 씨는 바다에서 수영을 하고 생선회도 먹었습니다.

1) 피터 씨는 제주도까지 어떻게 갔습니까? ( 彼得怎么去的济州岛? )


2) 피터 씨는 제주도에 몇 시에 도착했습니까? ( 彼得是几点到达济州岛的? )


3) 피터 씨는 무엇으로 김치볶음밥을 만들었습니까? ( 彼得用什么做的泡菜炒饭? )


4) 피터 씨는 바다에서 무엇을 했습니까? ( 彼得在海边做了什么? )


5) 위 글의 내용과 같으면 O, 다르면 X표 하십시오. ( 与上文一致请画○，不一致请画×。)

   ❶ 피터 씨 집은 부산에 있습니다. 　　　　　　　( 　　　 )

   ❷ 피터 씨는 친구와 같이 제주도에 갔습니다. 　　( 　　　 )

   ❸ 피터 씨는 민박집까지 배로 갔습니다. 　　　　　( 　　　 )

   ❹ 제주도 바다와 부산 바다는 비슷합니다. 　　　　( 　　　 )

**9.** 다음 약도를 보고 [보기]와 같이 이야기하십시오. ( 请看简图，仿照例子进行口语问答练习。)

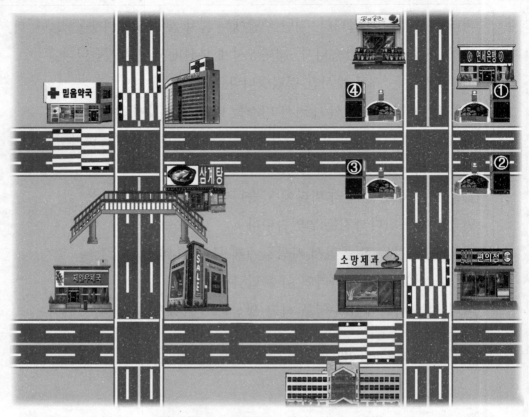

[보기]  백화점 → 은행

가 : 실례지만 이 근처에 은행이 있습니까?

나 : 네, 있습니다.

가 : 여기에서 은행까지 어떻게 갑니까?

나 : 여기에서 한식집 쪽으로 똑바로 가십시오.

그리고 한식집에서 오른쪽으로 가십시오. 지하도가 있습니다.

지하도를 내려가서 1번 출구로 올라가십시오. 은행이 있습니다.

❶ 학교 → 우체국                    ❷ 꽃집 → 편의점

❸ 우체국 → 병원                    ❹ 빵집 → 은행

❺ 한식집 → 약국

**10.** 다음 표의 질문으로 친구들과 이야기하십시오. ( 请用下表给出的问句和同伴们进行口语问答练习。)

| 질문 | 친구 1 | 친구 2 |
|---|---|---|
| 1) 집에서 학교까지 멀어요? | | |
| 2) 학교까지 무엇으로 와요? | | |
| 3) 학교까지 얼마나 걸려요? | | |
| 4) 여기서 ＿＿＿(명동, 인사동……)까지 어떻게 가요? | | |
| 5) 내일 ＿＿＿(명동, 인사동……)에 같이 갈까요? | | |
| 6) ＿＿＿(명동, 인사동……)까지 택시를 타고 갈까요? | | |

## 제8과  전화

### 8과 1항

#### 어휘

**1.** 다음 [보기]에서 알맞은 단어를 골라 밑줄에 쓰십시오. ( 请选择适当的单词填入横线处。)

| [보기] | 국제전화 | 휴대전화 | 시외전화 | 국가번호 | 지역번호 |
|--------|----------|----------|----------|----------|----------|

| 전화번호 | ❶ 지역번호 | | ❷ _____ | |
|----------|------|-----|------|----|
| 010-312-7664 | 서울 | 02 | 미국 | 1 |
| | 부산 | 051 | 일본 | 81 |
| | 제주도 | 064 | 한국 | 82 |
| ❸ _____ | ❹ _____ | | ❺ _____ | |

**2.** 다음 전화번호를 한글로 쓰십시오. ( 请将下列电话号码用韩文写出来。)

❶ 연세대학교 : 02) 2123-2114 ( 공이 이일이삼의 이일일사 )

❷ 전화번호 안내 : 114 (　　　　) ❸ 롯데 백화점 : 1577-2200 (　　　　　)

❹ 부산역 : 051) 440-2516 (　　　　　　　　　)

❺ 미선 씨 핸드폰 번호 : 010-590-3692 (　　　　　　　　　)

#### 문법

**Vst 을게요 / ㄹ게요**

**3.** 다음 문장을 '-을게요/ㄹ게요'를 사용해서 바꿔 쓰십시오. ( 请使用 "-을게요/ㄹ게요" 改写句子。)

❶ 제가 읽겠습니다. ➔ 제가 읽을게요 _____

❷ 내일 전화하겠습니다. ➔ _____.

❸ 제가 빌려 드리겠습니다. ➔ _____.

❹ 먼저 먹겠습니다. ➔ _____.

❺ 담배를 피우지 않겠습니다. ➔ _____.

❻ 오늘 저녁은 제가 만들겠습니다. ➔ _____.

❼ 선생님 설명을 잘 듣겠습니다. ➔ _____.

**4.** 다음 그림은 영수 씨의 하루입니다. 그림을 보고 [보기]에서 알맞은 문장을 골라 대화를
완성하십시오. ( 下图是英秀的一天。请看图，选择适当的句子完成对话。)

[보기] 전화하겠습니다,  제가 도와 드리겠습니다,  오늘은 술을 안 마시고 가겠습니다
오늘은 제가 사겠습니다,  8시까지는 집에 오겠습니다,  점심시간까지 끝내겠습니다

❶

부인 : 일찍 집에 오세요.

영수 : <u>8시까지는 집에 올게요</u>                .

❷

과장 : 오늘까지 이 일을 끝내세요.

영수 : ......................................................... .

❸

영수   : ......................................................... .

여직원 : 고마워요.

❹

부인 : 술 마시지 마세요.

영수 : ......................................................... .

❺

영수 : ......................................................... .

친구 : 고맙습니다.

　　　다음 주에는 제가 사겠습니다.

❻

친구 : 다음 주에 봐요. 연락하세요.

영수 : ......................................................... .

## N 이나/나

**5.** 다음 단어를 사용해서 대답하십시오. ( 请使用下列单词回答问题。)

| 기차 | 비행기 | 버스 |

❶ 가 : 부산까지 무엇을 타고 가겠습니까?

   나 : 기차나 버스를 타고 가겠습니다.

| 수영 | 태권도 | 테니스 |

❷ 가 : 무슨 운동을 배우고 싶어요?

   나 : _____.

| 김밥 | 냉면 | 라면 |

❸ 가 : 점심에 뭘 먹을까요?

   나 : _____.

| 향수 | 꽃다발 | 액세서리 |

❹ 가 : 여자 친구 생일입니다. 무슨 선물이 좋습니까?

   나 : _____.

| 미국 | 중국 | 호주 |

❺ 가 : 어디에 가고 싶습니까?

   나 : _____.

| 오늘 | 내일 | 모레 |

❻ 가 : 언제 만날까요?

   나 : _____.

**6.** 영수 씨가 친구들의 이야기를 듣고 대답해 줍니다. '-이나/나'를 사용해서 영수 씨의 대답을 완성하고 여러분의 대답도 쓰십시오. ( 英秀在帮朋友解答问题。请使用 "-이나/나"完成英秀的回答，并写出自己的答案。)

| 친구 이야기 | | 영수 씨와 나의 대답 |
| --- | --- | --- |
| 1) 저는 너무 뚱뚱해요. | 영수 | (피자 / 햄버거)<br>피자나 햄버거를 먹지 마세요. |
| | 나 | |
| 2) 좋아하는 남자/여자가 있어요. | 영수 | (편지 / 이메일) |
| | 나 | |
| 3) 내일 남자/여자 친구와 데이트를 해요. | 영수 | (극장 / 놀이공원) |
| | 나 | |
| 4) 1월에 신혼여행을 가요. | 영수 | (호주 / 하와이) |
| | 나 | |
| 5) 값이 싸고 좋은 선물을 사고 싶어요. | 영수 | (동대문시장 / 남대문시장) |
| | 나 | |

# 8과 2항

## 어휘

**1.** 관계있는 말을 연결하십시오. ( 请把相关的内容用线连接起来。)

❶ 전화번호를 •                   • 끄다

❷ 신호가 •                   • 남기다

❸ 전화벨이 •                   • 누르다

❹ 핸드폰을 •                   • 울리다

❺ 문자메시지를 •                 • 가다

❻ 음성메시지를 •                 • 보내다

**2.** 다음 [보기]에서 알맞은 단어를 골라 고쳐 쓰십시오. ( 请选择合适的单词并用其适当形式填空。)

[보기] 가다　　걸다　　끄다　　남기다　　울리다　　확인하다

미나 : 영수 씨, 어제 저한테 전화를 했어요?

영수 : 네, 제가 저녁 6시에 전화를 ❶ <u>걸었어요</u> <s>었어요/았어요/였어요</s>.
그런데 미나씨가 전화를 받지 않았어요.

미나 : 미안해요. 제가 어제 저녁에는 친구하고 같이 영화를 봤어요.
그래서 핸드폰을 ❷ ＿＿＿＿＿＿ 었어요/았어요/였어요.

영수 : 미나 씨가 전화를 받지 않아서 음성메시지를 ❸ ＿＿＿＿＿＿
었어요/았어요/였어요.

미나 : 아, 그래요?
문자메시지는 ❹ ＿＿＿＿ 지만 음성메시지는 ❺ ＿＿＿＿ 지 않았어요.

영수 : 밤 11시에 다시 미선 씨 집으로 전화했어요.
그런데 '뚜뚜뚜' 신호만 ❻ ＿＿＿＿＿ 고 전화는 받지 않았어요.

미나 : 미안해요. 어제 제가 일찍 잤어요.
전화벨이 ❼ ＿＿＿＿＿ 지만 피곤해서 잤어요.
오늘은 꼭 전화를 받을게요.

## AVst 는데요 │ DVst 은데요 / ㄴ데요

**3.** 다음을 '–는데요, –은데요/ㄴ데요'를 사용해서 바꿔 쓰십시오. ( 请使用 "–는데요, –은데요/ㄴ데요" 改写句子。)

❶ 그 사람이 제 친구입니다. ➡ 그 사람이 제 친구인데요 .

❷ 제가 마이클입니다. ➡ .

❸ 내일은 바쁩니다. ➡ .

❹ 오늘은 날씨가 아주 좋습니다. ➡ .

❺ 지금 비가 옵니다. ➡ .

❻ 내일 약속이 있습니다. ➡ .

❼ 어제 그 영화를 봤습니다. ➡ .

❽ 김치가 좀 맵습니다. ➡ .

❾ 명동에서 삽니다. ➡ .

❿ 이 꽃이 예쁘지 않습니다. ➡ .

**4.** 영수 씨는 미나 씨를 좋아하지만 미나 씨는 영수 씨를 좋아하지 않습니다. 다음 [보기]에서 알맞은 문장을 골라 '–는데요, –은데요/ㄴ데요'를 사용해서 대화를 완성하십시오. ( 虽然英秀喜欢美娜，但是美娜不喜欢英秀。请选择适当的语句，使用 "–는데요, –은데요/ㄴ데요" 完成对话。)

[보기] 보다, 저이다, 좀 바쁘다, 남자친구가 있다, 할 일이 많다, 좋아하지 않다

영수 : 여보세요, 이미나 씨 좀 부탁드립니다.

미나 : ❶ 전데요 . 누구세요?

영수 : 미나 씨, 저 김영수예요. 오늘 점심에 바쁘세요?

미나 : 오후에 회의가 있어서 ❷ .

영수 : 그럼, 저녁에는 어때요?

미나 : 오늘은 저녁까지 ❸ .

영수 : 그럼, 주말에 같이 등산을 할까요?

미나 : 저는 등산을 ❹ .

영수 : 영화는 좋아하지요? 같이 영화를 봅시다. '러브 스토리' 어때요?

미나 : 그 영화는 지난주에 ❺ .

영수 : 좋아요, 그럼 우리 데이트합시다.

미나 : 미안하지만 저는 ❻ .

어휘

**1.** 다음 [보기]에서 알맞은 문장을 골라 대화를 완성하십시오. ( 请选择适当的句子完成对话。)

> [보기]  ❶ 약속 시간을 바꾸고 싶어요.
>
> ❷ 약속 장소는 연세약국 앞이지요?
>
> ❸ 지난번에는 제가 약속을 어겼습니다.
>
> ❹ 이번에는 꼭 약속을 지킬게요.
>
> ❺ 우리가 내일 1시에 만나기로 약속을 했지요?

마리 : 여보세요, 미나 씨 계세요?

미나 : 바로 전데요. 누구세요?

마리 : 저 마리예요.

미나 : 아, 마리 씨! ❶ <u>지난번에는 제가 약속을 어겨서</u> 미안했어요.

마리 : 괜찮아요. 그런데, 미나 씨! ❷ ................................................?

미나 : 네, 맞아요. 그런데 무슨 일이 있어요?

마리 : ❸ ................................................ .

미나 : 그래요? 몇 시로 바꿀까요?

마리 : 3시 괜찮아요?

미나 : 네, 괜찮아요.

마리 : ❹ ................................................?

미나 : 네, 3시까지 연세약국 앞으로 오세요.

  ❺ ................................................ .

마리 : 그래요. 그럼 내일 봐요.

## 문법

### N 에게서 | N 한테서

**2.** 다음 그림을 보고 문장을 만드십시오. ( 请看图写句子。 )

①

친구 / 이야기를 들었어요.

➜ **친구한테서** 이야기를 들었어요.

②

남자 친구 / 꽃을 받았어요.

➜ _____.

③

김 선생님 / 한국말을 배워요.

➜ _____.

④

언니 / 옷을 빌렸어요.

➜ _____.

⑤

아버지 / 전화가 왔어요.

➜ _____.

⑥

친구 / 전자사전을 샀어요.

➜ _____.

**3.** '에게서/한테서'와 '에서'를 사용해서 다음 대화를 완성하십시오. ( 请使用 "에게서/한테서" 或 "에서" 完成对话。 )

가 : 그 이야기를 미선 씨에게서 들었어요?

나 : 아니요, 라디오에서 들었어요.

---

가 : 아버지 _____ 수영을 배웠어요?

나 : 아니요, _____ 수영을 배웠어요.

---

가 : 누구 _____ 전화가 왔어요?

나 : _____ 전화가 왔어요.

---

가 : 이 책을 어디 _____ 빌렸어요?

나 : _____ 빌렸어요.

---

가 : 상품권을 누구 _____ 받았어요?

나 : _____ 받았어요.

---

가 : 가수 미아 씨가 결혼했어요.

나 : 누구 _____ 들었어요?

가 : _____ 들었어요.

## Vst 으면/면

**4.** 다음 두 문장을 연결하고 '-으면/면'을 사용해서 아래에 문장을 쓰십시오. ( 请将相关的 两句话用线连接起来，并使用 "-으면/면" 组成一个句子。)

❶ 시간이 있다　　　　• ⋯⋯⋯⋯⋯⋯⋯⋯⋯⋯⋯　• 다리가 아파요.

❷ 지금 출발하다　　　•　　　　　　　　　　　• 먹지 마세요.

❸ 값이 비싸지 않다　•　　　　　　　　　　　• 가르쳐 주세요.

❹ 오래 걷다　　　　　•　　　　　　　　　　　• 같이 영화를 봅시다.

❺ 음식이 맵다　　　　•　　　　　　　　　　　• 늦지 않겠어요?

❻ 전화번호를 알다　•　　　　　　　　　　　• 핸드폰을 사고 싶어요.


❶ 시간이 있으면 같이 영화를 봅시다　　　　.

❷ ＿＿＿＿＿＿＿＿＿＿＿＿＿＿＿＿＿＿＿

❸ ＿＿＿＿＿＿＿＿＿＿＿＿＿＿＿＿＿＿＿

❹ ＿＿＿＿＿＿＿＿＿＿＿＿＿＿＿＿＿＿＿

❺ ＿＿＿＿＿＿＿＿＿＿＿＿＿＿＿＿＿＿＿

❻ ＿＿＿＿＿＿＿＿＿＿＿＿＿＿＿＿＿＿＿

**5.** 다음 그림을 보고 대답을 쓰십시오. ( 请看图，回答问题。)

가 : 머리가 많이 아프면 어떻게 해요?

나 : 머리가 많이 아프면 약을 먹어요 .

---

가 : 밤에 잠이 오지 않으면 뭘 해요?

나 : _____ .

---

가 : 약속시간에 늦으면 어떻게 해요?

나 : _____ .

---

가 : 주말에 날씨가 좋으면 뭘 할까요?

나 : _____ .

---

가 : 돈이 많으면 뭘 하고 싶어요?

나 : _____ .

---

가 : 결혼을 하면 어디로 신혼여행을 가고
　　 싶어요?

나 : _____ .

## 어휘

**1.** 다음 [보기]에서 알맞은 문장을 골라 대화를 완성하십시오. ( 请选择适当的句子完成 대화。)

> [보기] 전화 바꿨습니다.　　　바꿔 주세요.　　　　전화 끊지 말고 기다리세요.
> 　　　전화 받으세요.　　　　통화 중이신데요.

❶ 가 : 여보세요, <u>전화 바꿨습니다</u>.

　　나 : 민철 씨, 저 미나예요.

❷ 가 : 여보세요, 김 사장님하고 통화하고 싶은데요.

　　나 : 지금 다른 분하고 _____.

❸ 가 : 어머니 계세요?

　　나 : 네, 잠깐만 기다리세요. 어머니! _____.

❹ 가 : 김 선생님 전화번호를 아세요?

　　나 : 찾아볼게요. 잠깐만 _____.

❺ 가 : 여보세요, 죄송하지만 김미나 씨 좀 _____.

　　나 : 잠깐만 기다리세요.

## 문법

### Vst 을/ㄹ 거예요

**2.** 다음 문장을 완성하십시오. ( 请完成下列句子。)

❶ 점심에 한식을 먹고 저녁에는 일식을 <u>먹을</u> 을/ㄹ 거예요.

❷ 방학을 하면 고향에 _____ 을/ㄹ 거예요.

❸ 오늘은 친구 집에서 놀았으니까 내일은 우리 집에서 _____ 을/ㄹ 거예요.

❹ 가족들이 모두 여행을 가서 집에는 사람이 _____ 을/ㄹ 거예요.

❺ 영미 씨는 영어 선생님이니까 영어를 _____ 을/ㄹ 거예요.

❻ 날씨가 더워서 수영장에 사람들이 _____ 을/ㄹ 거예요.

**3.** 다음 주말에 결혼을 하는 동수 씨가 민철 씨와 전화를 합니다. '-을/ㄹ 거예요'를 사용해서 다음 대화를 완성하십시오. ( 东洙下周即将结婚，他给敏哲打了电话。请使用 "-을/ㄹ 거예요" 完成下列对话。)

동수 : 여보세요, 죄송하지만 정민철 씨 좀 바꿔 주세요.

민철 : 제가 정민철인데요. 누구세요?

동수 : 민철 씨, 저 동수예요. 저 다음 주말에 결혼해요.

민철 : 아, 그래요? 축하합니다. 어디에서 할 거예요?

동수 : (연세호텔) ❶ _____연세호텔에서 할 거예요_____ .

민철 : 주말에는 복잡하지 않아요?

동수 : (괜찮다) 아마 ❷ _____ .

민철 : 손님이 많이 와요?

동수 : (많이 오다) 네, 아마 ❸ _____ .

민철 : 몇 시에 할 거예요?

동수 : (12시) ❹ _____ .

민철 : 신혼여행은 어디로 갈 거예요?

동수 : (제주도) ❺ _____ .

민철 : 제주도는 날씨가 어때요?

동수 : (덥다) 아마 ❻ _____ .

민철 : 언제 올 거예요?

동수 : (5일 후) ❼ _____ .

민철 : 결혼 후에 어디에서 살 거예요?

동수 : (신촌) ❽ _____ .

## N만

**4.** 다음 그림을 보고 '-만'을 사용해서 대화를 완성하십시오. ( 请看图，使用 "-만" 完成对话。)

**①**

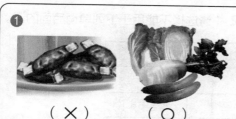

( X )　　( O )

가 : 고기를 좋아하세요?

나 : 아니요, <u>야채만 좋아해요</u>.

**②**

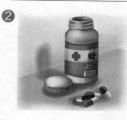

3번 ( X )

2번 ( O )

가 : 이 약은 하루에 세 번 먹을까요?

나 : 아니요, _____.

**③**

( X )　　( O )

가 : 부모님께 자주 편지를 쓰세요?

나 : 아니요, _____.

**④**

( X )

( O )

가 : 불고기를 몇 인분 시킬까요?

나 : _____.

**⑤**

가 : 교실 안에서도 담배를 피워요?

나 : 아니요, _____.

**⑥**

Hello　　안녕

( X )　　( O )

가 : 수업시간에 영어로 말합니까?

나 : 아니요, _____.

## 어휘와 문법

**1.** 다음 단어 다음에 올 수 **없는** 것을 고르십시오. ( 请选择**不能**用于下列单词后面的词。 )

❶ 휴대전화를

| 켜다 | 끄다 | 울리다 |
|------|------|-------|

❷ 문자메시지를

| 보내다 | 누르다 | 확인하다 |
|--------|--------|----------|

❸ 음성메시지를

| 가다 | 남기다 | 확인하다 |
|------|-------|----------|

❹ 약속을

| 어기다 | 만들다 | 지키다 |
|--------|--------|--------|

❺ 전화를

| 받다 | 끊다 | 나다 |
|------|------|------|

**2.** 다음 [보기]에서 알맞은 단어를 골라 (        )안에 쓰십시오. ( 请选择适当的单词填入
(   )内。 )

| [보기] | 잘못 | 아마 | 신호 | 이따가 | 잠깐만 | 통화중 |
|--------|------|------|------|--------|--------|--------|

❶ 가 : 존슨 씨 좀 바꿔 주세요.

　　나 : ( 잠깐만 )요. 존슨 씨, 전화 받으세요.

❷ 가 : 이것 좀 가르쳐 주세요.

　　나 : 지금은 좀 바쁜데요. (        ) 가르쳐 드릴게요.

❸ 가 : 오후에 비가 올까요?

　　나 : (        ) 안 올 거예요.

❹ 가 : 영수 씨가 전화를 받아요?

　　나 : (        )은/는 가는데 전화를 안 받아요.

❺ 가 : 이 선생님이 지금 다른 분과 (        )이신데요/신데요.

　　나 : 네, 조금 뒤에 다시 걸겠습니다.

❻ 가 : 332-2345 아니에요?

　　나 : 아닙니다. (        ) 거셨습니다.

**3.** 다음 문장에서 **틀린** 곳을 찾아 밑줄을 긋고 맞게 고치십시오. ( 请找出句中的**错误**，画线并改正。)

❶ 제가 불고기를 <u>만들을게요</u>.

　　　　　　　→ 만들

❷ 커피<u>이나</u> 녹차를 마셔요.

❸ 내일 날씨가 아마 <u>추워요</u>.

❹ 아직 그 음악을 안 <u>들은데요</u>.

❺ <u>덥으면</u> 에어컨을 켜세요.

❻ 어제 영수<u>에게</u> 선물을 받았어요.

**4.** 다음 [보기]에서 알맞은 문형을 **한 번씩만** 사용해서 대답하십시오. ( 请用下列句型回答，每个**仅限一次**。)

| [보기] | −을게요/ㄹ게요 | −는데요, −은데요/ㄴ데요 | |
|---|---|---|---|
| | −으면/면 | −을/ㄹ 거예요 | 이나/나 |

❶ 가 : 누가 먼저 하겠습니까?

　　나 : <u>제가 먼저 할게요</u>　　　　　　　.

❷ 가 : 부산에는 뭘 타고 가요?

　　나 : 　　　　　　　　　　　　　　.

❸ 가 : 8월에 시드니는 날씨가 어때요?

　　나 : 아마 　　　　　　　　　　.

❹ 가 : 누가 교실에서 김밥을 먹었어요?

　　나 : 제가 　　　　　　　　　　.

❺ 가 : 언제 부모님을 보고 싶어요?

　　나 : 　　　　　　　　　　　　.

**5.** 다음 [보기]에서 알맞은 문장을 골라 대화를 완성하십시오. (请选择适当的句子完成对话。)

> [보기] **❶** 바로 전데요. 누구세요?
> **❷** 민수 씨한테서 전화 받았어요?
> **❸** 집 전화번호 좀 가르쳐 주세요.
> **❹** 네, 누굴 찾으십니까?
> **❺** 죄송하지만 이정희 씨 좀 바꿔 주세요.
> **❻** 네, 괜찮아요. 말씀하세요.

**❶** 가 : 여보세요, 거기 한국 여행사지요?

　　나 : 네, 누굴 찾으십니까 ＿＿＿＿＿＿＿＿?

**❷** 가 : ＿＿＿＿＿＿＿＿＿＿＿＿＿＿.

　　나 : 2122-3421이에요.

**❸** 가 : 저 미나예요. 지금 안 바쁘세요?

　　나 : ＿＿＿＿＿＿＿＿＿＿＿＿＿＿.

**❹** 가 : 김영호 씨 계세요?

　　나 : ＿＿＿＿＿＿＿＿＿＿＿＿＿＿.

**❺** 가 : ＿＿＿＿＿＿＿＿＿＿＿＿＿＿.

　　나 : 네, 어제 밤에 받았어요.

**❻** 가 : ＿＿＿＿＿＿＿＿＿＿＿＿＿＿.

　　나 : 잠깐만 기다리세요.

**6.** 다음 문장을 듣고 알맞은 대답을 고르십시오. (请听录音，选择正确答案。)

1) (　　　　　)

❶ 내일 전화하세요.

❷ 내일 전화할게요.

❸ 내일 전화해 주십시오.

❹ 내일 전화하지 마세요.

2) (　　　　　)

❶ 영화를 볼게요.

❷ 여행을 가십시오.

❸ 아마 집에서 쉴 거예요.

❹ 주말에 시간이 없었어요.

3) (　　　　　)

❶ 바로 전데요.

❷ 저한테 전화가 왔어요.

❸ 친구한테서 전화가 왔어요.

❹ 친구한테 전화를 할 거예요.

**7.** 다음의 대화를 듣고 대답하십시오. (请听录音，回答问题。)

1) 김미선 씨 전화번호를 쓰십시오. (请写出金美善的电话号码。)

2) 미선 씨는 누구와 약속했습니까? 빈칸을 채우십시오. (美善跟谁有约？请填写。)

| 언제 | 누구와 | 약속 장소 | 몇 시 | 무엇을 할 거예요? |
|------|--------|-----------|-------|-------------------|
| 오늘 |        |           |       |                   |
| 내일 |        |           |       |                   |

**8.** 다음 대화를 읽고 질문에 대답하십시오. ( 请阅读下文，回答问题。)

> 직원 : 여보세요, 연세무역입니다.
>
> ❶ 민수 : 그래요? 몇 시에 파티를 해요?
> ❷ 리나 : 죄송하지만 정민수 씨 좀 바꿔 주세요.
> ❸ 민수 : 네, 괜찮아요. 말씀하세요.
> ❹ 민수 : 여보세요, 전화 바꿨습니다.
> ❺ 리나 : 민수 씨, 저 리나예요. 지금 안 바쁘세요?
> ❻ 리나 : 5시까지 오세요.
> ❼ 리나 : 일요일 오후에 존슨 씨 집에서 파티가 있어요.
> ❽ 직원 : 잠깐만 기다리세요. 정민수 씨, 전화 받으세요.
>
> 민수 : 그날 오후에 일이 있어서 아마 30분쯤 늦을 거예요.
>
> 리나 : 네, 늦으면 전화하세요.

1) 위 글의 ❶ ~ ❽ 을 순서대로 바꿔 보십시오. ( 请正确排列❶~❽的顺序。)

( ❷ )→( )→( )→( )→( )→( )→( )→( )

2) 리나 씨는 민수 씨에게 왜 전화를 했습니까? ( 丽娜为什么给民洙打了电话? )




3) 위 글의 내용과 같으면 O, 다르면 X표 하십시오. ( 与上文内容一致请画○，不一致请画×。)

❶ 민수 씨는 회사원입니다. ( )

❷ 민수 씨는 지금 바쁩니다. ( )

❸ 민수 씨는 일요일에 5시까지 존슨 씨 집에 가겠습니다. ( )

**9.** 다음을 읽고 친구와 전화로 이야기 하십시오. ( 请阅读下文并练习跟朋友打电话。)

---

[상황 1] 전화를 잘못 건 경우

　미선 씨 전화번호는 265-3397번입니다. 영수 씨가 미선 씨에게 전화를 하고 싶었는데 265-3497번으로 잘못 전화를 걸었습니다. 그곳은 노래방이었습니다. 영수 씨와 노래방 주인의 전화 대화를 만들어 보십시오.

---

[상황 2] 전화를 바꿔 주는 경우

　존슨 씨가 한국어학당 이지은 선생님과 통화하고 싶었지만 선생님이 안 계셨고 박 선생님이 전화를 받았습니다. 존슨 씨는 1시간 후에 다시 전화를 걸었습니다. 다시 박 선생님이 전화를 받았고 이지은 선생님을 바꿔 주셨습니다. 존슨 씨와 박 선생님의 전화 대화를 만들어 보십시오.

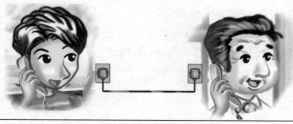

---

[상황 3] 친구가 없을 때 다른 사람과 통화하는 경우

　민호 씨는 영수 씨 친구입니다. 민호 씨는 미국에서 영어를 공부하고 지난 주에 한국에 돌아왔습니다. 오랜만에 영수 씨에게 전화 했는데 영수 씨는 집에 없고 영수 씨 어머니가 전화를 받았습니다. 어머니는 민호 씨를 집으로 초대하셨습니다. 내일 민호 씨는 영수 씨 집에 가겠습니다. 민호 씨와 어머니의 전화 대화를 만들어 보십시오.

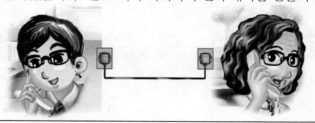

**10.** 다음 표의 질문으로 친구들과 이야기하십시오. ( 请用下表给出的问句与同伴进行口语问答练习。 )

| 질문 | 친구 1 | 친구 2 |
|---|---|---|
| 1) 주말에 시간이 있으면 뭘 하세요? | | |
| 2) 이번 주말에 같이 식사할까요?<br>제가 저녁을 살게요. | | |
| 3) 비빔밥이나 냉면을 좋아하세요? | | |
| 4) 고향 음식이 먹고 싶으면 어떻게 해요? | | |
| 5) 고향에 계시는 부모님한테서 자주 전화가 와요? | | |
| 6) 언제 고향에 돌아갈 거예요? | | |
| 7) 고향에 돌아가면 반 친구들한테 연락할 거예요? | | |
| 8) 반 친구들한테 이메일이나 문자메시지를<br>자주 보내요? | | |
| 9) 반 친구들하고는 한국말로만 말해요? | | |
| 10) 한국 사람한테서 전화가 오면 어떻게 말해요? | | |

**1.** 숨은 그림은 무엇이 있습니까? ( 图中都有什么东西被隐藏了？ )

**2.** 무엇을 빨리 찾았습니까? ( 什么东西很快就找到了？ )

**3.** 무엇을 찾기가 어려웠습니까? ( 什么比较难找？ )

# 날씨와 계절

## 9과 1항

### 어휘

**1.** 주어진 단어를 보고 [보기]에서 알맞은 단어를 골라 쓰십시오. ( 请仿照例子，从所列单词中选择适当的词填空。)

| [보기] | 봄 | 여름 | 가을 | 겨울 |

❶ ⎯봄⎯ 딸기　　개나리　　진달래　　　❷ ⎯⎯⎯⎯ 감　　　단풍　　독서

❸ ⎯⎯⎯⎯ 귤　　　눈사람　　스키　　　　❹ ⎯⎯⎯⎯ 참외　　수박　　수영

### 문법

**AVst 는데, DVst 은데/ㄴ데**

**2.** 다음을 한 문장으로 만드십시오. ( 请将两句话连成一句。)

❶ 부모님은 키가 작아요. / 저는 키가 커요.

➡ ⎯부모님은 키가 작은데 저는 키가 커요.⎯

❷ 제 사전은 두꺼워요. / 리에 씨 전자사전은 얇아요.

➡ ⎯⎯⎯⎯⎯⎯⎯⎯⎯⎯⎯⎯⎯⎯⎯⎯⎯⎯⎯⎯⎯.

❸ 방은 좁아요. / 거실은 넓어요.

➡ ⎯⎯⎯⎯⎯⎯⎯⎯⎯⎯⎯⎯⎯⎯⎯⎯⎯⎯⎯⎯⎯.

❹ 동생은 운전할 수 있어요. / 저는 운전할 수 없어요.

➡ ⎯⎯⎯⎯⎯⎯⎯⎯⎯⎯⎯⎯⎯⎯⎯⎯⎯⎯⎯⎯⎯.

❺ 저는 하숙집에 살아요. / 친구는 기숙사에 살아요.

➡ ⎯⎯⎯⎯⎯⎯⎯⎯⎯⎯⎯⎯⎯⎯⎯⎯⎯⎯⎯⎯⎯.

❻ 작년에는 한글을 몰랐어요. / 지금은 알아요.

➡ ⎯⎯⎯⎯⎯⎯⎯⎯⎯⎯⎯⎯⎯⎯⎯⎯⎯⎯⎯⎯⎯.

**3.** 다음 문장을 완성하십시오. ( 请完成下列句子。 )

❶ 저는 양식을 좋아하는데 동생은   양식을 싫어해요 .

❷ 지수 씨는 머리가 긴데 시연 씨는 ........................................ .

❸ 서울은 ........................................ 는데, 은데/ㄴ데 제 고향은 따뜻해요.

❹ 물냉면은 ........................................ 는데, 은데/ㄴ데 비빔냉면은 매워요.

❺ 우리 하숙집은 ........................................는데, 은데/ㄴ데 다른 하숙집은

........................................ .

❻ 작년에는 ........................................는데, 은데/ㄴ데 올해는 ........................................ .

**4.** 다음 그림을 보고 문장을 쓰십시오. ( 请看图写句子。 )

❶

한국은 추운데 호주는 더워요 ........................................ .

❷

........................................ .

❸

........................................ .

④ 형 동생

. 

⑤ 옛날 지금

. 

## AVst을/ㄹ 수 있다

**5.** 여러분은 무엇을 할 수 있습니까? 다음 표를 완성하고 문장으로 쓰십시오. (大家会做什么?请完成下表并在下面写出完整的句子。)

| | 할 수 있다 | 할 수 없다 |
|---|---|---|
| ❶ 한글을 읽습니다. | ✔ | |
| ❷ 스키를 탑니다. | | |
| ❸ 중국말을 합니다. | | |
| ❹ 떡볶이를 만듭니다. | | |
| ❺ 한국 뉴스를 듣습니다. | | |
| ❻ 바다에서 수영합니다. | | |

❶ 저는 한글을 읽을 수 있어요 .

❷ .

❸ .

**④** _____ .

**⑤** _____ .

**⑥** _____ .

**6.** 다음 대화를 완성하십시오. ( 请完成下列对话。 )

(민석 씨는 같은 회사에서 일하는 나연 씨를 좋아합니다.)

민석 : 나연 씨, 12시예요. 오늘 같이 점심 먹을 수 있어요?

나연 : 아니요, ❶ <u>같이 점심을 먹을 수 없어요</u> .

민석 : 왜 ❷ _____ ?

나연 : ❸ _____ 어서/아서/여서 _____ .

민석 : 그럼 주말에 만날 수 있어요?

나연 : 아니요, ❹ _____ .

민석 : 왜 ❺ _____ ?

나연 : ❻ _____ 어서/아서/여서 _____ .

민석 : 다음 주에 제 생일 파티를 할 거예요. 파티에 올 수 있어요?

나연 : 아니요, ❼ _____ .

민석 : 왜 ❽ _____ ?

나연 : ❾ _____ 어서/아서/여서 _____ .

그런데 민석 씨, 하고 싶은 얘기가 있어요.

저는 벌써 결혼해서 데이트할 수 없어요. 죄송해요.

## 어휘

**1.** 다음 그림을 보고 대답하십시오. ( 请看图回答问题。 )

❶ 가 : 시드니 날씨가 맑아요?

　　나 : <u>네, 맑아요</u>.

❷ 가 : 도쿄에 눈이 와요?

　　나 : ＿＿＿＿＿＿＿＿＿＿＿＿＿＿.

❸ 가 : 시카고에 바람이 많이 불어요?

　　나 : ＿＿＿＿＿＿＿＿＿＿＿＿＿＿.

❹ 가 : 런던 날씨가 어때요?

　　나 : ＿＿＿＿＿＿＿＿＿＿＿＿＿＿.

❺ 가 : 카이로 날씨가 어때요?

　　나 : ＿＿＿＿＿＿＿＿＿＿＿＿＿＿.

❻ 가 : 모스크바 날씨가 어때요?

　　나 : ＿＿＿＿＿＿＿＿＿＿＿＿＿＿.

## N 후에 | AVst 은/ㄴ 후에

**2.** 다음을 한 문장으로 만드십시오. ( 请将下面的语句连成一个句子。)

① 졸업 / 대학원에 갈 거예요.

➡ 졸업 후에 대학원에 갈 거예요.

② 일주일 / 만나요.

➡ _____.

③ 식사 / 후식을 먹어요.

➡ _____.

④ 운동을 해요. / 샤워해요.

➡ _____.

⑤ 아침을 먹어요. / 신문을 읽어요.

➡ _____.

⑥ 친구들하고 놀았어요. / 숙제를 했어요.

➡

_____.

**3.** 다음은 요시다 씨가 어제 한 일입니다. 그림을 보고 문장을 쓰십시오. ( 以下是吉田昨天做的事情。请看图写句子。)

① ___수업이 끝난___ 은/ㄴ 후에 ___점심을 먹었어요___.

② ___점심을 먹은___ 은/ㄴ 후에 _____.

③ _____ 은/ㄴ 후에 _____.

④ _____ 은/ㄴ 후에 _____.

⑤ _____ 은/ㄴ 후에 _____.

⑥ _____ 은/ㄴ 후에 _____.

## -겠-

**4.** 알맞은 대답을 찾아 연결하십시오. (请找出正确的回答，用线连接起来。)

① 어젯밤에 3시간 잤어요.　　　　　•　　　　• 맛있겠어요.

② 저는 여행사에서 일해요.　　　　•　　　　• 피곤하겠어요.

③ 우리 어머니가 만든 불고기예요.　•　　　　• 춥겠어요.

④ 수한 씨는 미국에서 10년 살았어요. •　　　　• 기분이 좋겠어요.

⑤ 수업이 끝난 후에 데이트가 있어요. •　　　　• 여행을 많이 하겠어요.

⑥ 밖에 눈이 오고 바람도 많이 불어요. •　　　　• 영어를 잘 하겠어요.

**5.** 다음 대화를 완성하십시오. ( 请完成下列对话。)

❶ 가 : 어제 할아버지께서 돌아가셨어요.

　 나 : _____슬프_____ 겠어요.

❷ 가 : 중간 시험을 잘 봤어요.

　 나 : _____ 겠어요.

❸ 가 : 학교까지 한 시간 걸어왔어요.

　 나 : _____ 겠어요.

❹ 가 : _____.

　 나 : 미선 씨는 인기가 많겠어요.

❺ 가 : _____.

　 나 : 기분이 나쁘겠어요.

❻ 가 : _____.

　 나 : 재미있겠어요.

## 어휘

**1.** 한국의 날씨입니다. 관계있는 것을 연결하십시오. ( 下面是韩国的天气。请将相关的内容用线连接起来。)

❶ 1월 5일 •・・・・・・・・・・・・・・ • 덥다

❷ 4월 10일 • • 춥다

❸ 8월 3일 • • 선선하다

❹ 10월 1일 • • 따뜻하다

❺ 11월 30일 • • 쌀쌀하다

## 문법

### N 보다

**2.** 다음 그림을 보고 남한과 북한을 비교해서 쓰십시오. ( 请看图，比较一下韩国和朝鲜，并写一写。)

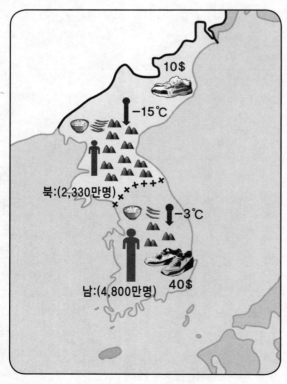

| | 이/가 | 보다 | 어요/아요/여요. |
|---|---|---|---|
| 1) 산 | 북한이 남한보다 산이 많아요. | | |
| 2) 사람 | | | |
| 3) 크기 | | | |
| 4) 날씨 | | | |
| 5) 음식 | | | |
| 6) 물건 값 | | | |

**3.** 여러분은 어떻습니까? 다음을 보고 문장을 쓰십시오. ( 大家的情况怎么样呢? 请仿照
例子写句子。 )

| 말하기 점수 | 쓰기 점수 |
|---|---|

❶ 저는  말하기 점수가 쓰기 점수보다 나빠요.

(나쁘다)

| 축구 | 수영 |
|---|---|

❷ 저는 _____.

(잘 하다)

| 도시 | 시골 |
|---|---|

❸ 저는 _____.

(좋다)

| 고기 | 야채 |
|---|---|

❹ 저는 _____.

(많이 먹다)

| 한국 친구 | 일본 친구 |
|---|---|

❺ 저는 _____.

(많다)

| 혼자 사는 것 | 가족과 같이 사는 것 |
|---|---|

❻ 저는 _____.

(편하다)

**4.** 다음 밑줄 친 문장을 바꿔 쓰십시오. ( 请改写下面画线的句子。)

➊ <u>저 사람은 독일 사람이에요.</u> 독일말을 잘 해요.

   ➜ 저 사람은 독일 사람인 것 같아요.

➋ <u>저 건물은 교회예요.</u> 지붕에 십자가가 있어요.

   ➜

➌ <u>리사 씨 집이 멀어요.</u> 날마다 학교에 늦게 와요.

   ➜

➍ <u>김치가 매워요.</u> 제임스 씨가 안 먹어요.

   ➜

➎ <u>요코 씨가 학교 근처에 살아요.</u> 날마다 일찍 와요.

   ➜

➏ <u>샤오밍 씨가 한국 노래를 좋아해요.</u> 한국 노래를 자주 들어요.

   ➜

➐ <u>진수 씨가 책을 많이 읽었어요.</u> 아는 것이 많아요.

   ➜

➑ <u>제인 씨가 어제 늦게 잤어요.</u> 수업 시간에 졸아요.

   ➜

➒ <u>오후에 비가 올 거예요.</u> 날씨가 흐려요.

   ➜

➓ <u>사치코 씨가 한국 역사를 잘 알 거예요.</u> 전공이 역사학이에요.

   ➜

**5.** 다음 그림을 보고 대답하십시오. ( 请看图回答问题。 )

①

가 : 한국 사람인 것 같아요?

나 : <u>아니요, 일본 사람인 것 같아요</u> .

②

가 : 마리 씨가 바쁜 것 같아요?

나 : _____ .

③

가 : 준영 씨가 공부하는 것 같아요?

나 : _____ .

④

가 : 리키 씨가 열심히 공부한 것 같아요?

나 : _____ .

⑤

가 : 오후에 비가 올 것 같아요?

나 : _____ .

가 : 무슨 동물인 것 같아요?

나 :                           .

가 : 은희 씨 기분이 어떤 것 같아요?

나 :                           .

가 : 준영 씨가 지금 뭘 하는 것 같아요?

나 :                           .

가 : 리키 씨가 뭘 한 것 같아요?

나 :                           .

가 : 이 식당 음식이 어떨 것 같아요?

나 :                           .

## 어휘

**1.** 다음 설명에 맞는 단어를 [보기]에서 골라 쓰십시오. ( 请选择与下列表述相符的单词。)

> [보기]  소풍    피서    독서    야영    눈사람    해수욕장    단풍 구경

❶ 봄과 가을에 공원에 가서 도시락을 먹고 놉니다.      (   소풍   )

❷ 여름에 바닷가에서 수영을 할 수 있는 곳입니다.      (      )

❸ 제 취미는 책 읽기입니다.      (      )

❹ 겨울에 눈이 오면 이것을 만듭니다.      (      )

❺ 날씨가 더우면 시원한 곳으로 갑니다.      (      )

❻ 텐트를 치고 밖에서 잠을 잡니다.      (      )

❼ 가을에 나뭇잎 색깔이 변합니다.      (      )

## 문법

### AVst 는군요 | DVst 군요

**2.** 다음 두 문장 중에서 맞는 것을 고르십시오. ( 请选择正确的一项。)

❶ 이 책이 ( 재미있군요. 재미있는군요. )

❷ 오늘은 교통이 ( 복잡하군요. 복잡하는군요. )

❸ 한국 음식을 ( 좋아하시군요. 좋아하시는군요. )

❹ 날마다 여자 친구에게 전화를 ( 걸군요. 거는군요. )

❺ 학교에서 시내까지 ( 멀지 않군요. 멀지 않는군요. )

❻ 남동생이 참 ( 잘 생기는군요. 잘 생겼군요. )

**3.** 다음 글을 읽고 '-는군요/군요'를 사용해서 대화를 완성하십시오. ( 请阅读下文，使用 "-는
군요/군요" 完成对话。 )

> 오늘은 날씨가 아주 맑았습니다.
>
> 리사 씨와 요코 씨는 호수공원에 갔습니다.
>
> 공원은 아주 컸습니다. 평일이었지만 사람이 많았습니다.
>
> 두 사람은 자전거를 빌려서 탔습니다.
>
> 리사 씨는 자전거 타는 것이 어려웠습니다.
>
> 요코 씨는 아주 잘 탔습니다. 저녁 6시가 되어서 집에 돌아왔습니다.

리사 : 오늘 날씨가 ❶ ___맑군요___ .

요코 : 네, 그런데 이 공원이 ❷ _____ .

리사 : 그렇지요? 평일인데 사람이 ❸ _____ .

요코 : 리사 씨, 우리 자전거를 탈까요?

(두 사람은 자전거를 탑니다.)

리사 : 요코 씨, 자전거 타는 것이 ❹ _____ .

요코 : 어렵지만 리사 씨도 연습하면 잘 탈 수 있어요.

리사 : 요코 씨는 자전거를 ❺ _____ .

요코 : 고마워요. 저도 작년에 처음 배웠어요.

리사 : 저도 빨리 잘 타고 싶어요. 요코 씨, 그런데 벌써 6시가

       ❻ _____ .

요코 : 벌써요? 그렇군요. 이제 집에 돌아갑시다.

**4.** 지금 리처드 씨 반 친구들은 공원에 있습니다. 그런데 일본에 있는 마사키 씨한테서 전화가 왔습니다. 다음 그림을 보고 대답하십시오. (现在理查德班同学在公园。这时，正木从日本打来电话。请看图回答下列问题。)

마사키 : 지금 친구들이 뭘 하고 있어요?

리처드 : ❶ 리키 씨는    수영을 하고 있어요          .

　　　　 ❷ 제니퍼 씨는 ＿＿＿＿＿＿＿＿＿＿＿.

　　　　 ❸ 톰 씨는 ＿＿＿＿＿＿＿＿＿＿＿＿＿.

　　　　 ❹ 요코 씨는 ＿＿＿＿＿＿＿＿＿＿＿＿.

　　　　 ❺ 현우 씨는 ＿＿＿＿＿＿＿＿＿＿＿＿.

마사키 : 선생님은 뭘 하고 계세요?

리처드 : ❻ 선생님은 ＿＿＿＿＿＿＿＿＿＿＿＿.

**5.** 다음 그림을 보고 [보기]의 단어와 '-고 있다'를 사용해서 대화를 완성하십시오. (请看图, 使用下面所列单词和 "-고 있다" 完成对话。)

[보기]  입다  쓰다  쉬다  들다  보다  공부하다  가르치다

미선 : 에릭 씨, 지금 뭘 하고 있어요?

에릭 : ❶ <u>가족 사진을 보고 있어요</u>. 어제 미국에서 사진이 왔어요.

미선 : 에릭 씨 가족 사진을 처음 봐요. 가족을 소개해 주세요.

에릭 : ❷ _____는 사람이 우리 아버지예요.

미선 : 아버지는 무슨 일을 하세요?

에릭 : 교수님이세요. 대학교에서 법학을 ❸ _____.

미선 : 오른쪽에 ❹ _____는 사람은 누구예요?

에릭 : 우리 어머니예요. 은행원이셨는데 지금은 집에서 ❺ _____.

미선 : 가운데 ❻ _____는 사람은 누구예요?

에릭 : 제 여동생이에요. 예쁘지요?

미선 : 네, 그런데 에릭 씨는 남동생도 있지요? 사진에는 왜 남동생이 없어요?

에릭 : 남동생은 지금 베이징대학교에서 ❼ _____.
　　　 그래서 이 사진에 없어요.

## 어휘와 문법

**1.** 다음 설명에 맞는 단어를 찾아 O표 하고 쓰십시오. ( 请找出与下列表述相符的单词，在字表中画○，并写在横线处。)

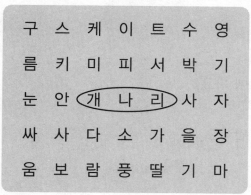

❶ 한국의 노란 봄 꽃입니다.　　　　　　　　　　　　　　　개나리

❷ 여름 과일입니다. 밖은 초록색이고 안은 빨간색입니다.　　..............

❸ 날씨가 선선한 계절입니다. 여름 다음에 옵니다.　　　　..............

❹ 눈이 오면 아이들이 하는 놀이입니다. 눈을 던집니다.　　..............

❺ 이것이 많이 끼면 비행기가 출발할 수 없습니다.　　　　..............

❻ 아침에는 흐렸는데 지금은 맑습니다.　　　　　　　　..............

❼ 겨울에 눈이 오면 할 수 있는 운동입니다.　　　　　　..............

❽ 더운 여름에 해수욕장이나 산으로 놀러 갑니다.　　　　..............

**2.** 다음 단어 중에서 **관계없는** 것을 고르십시오. ( 请在下列单词中找出**无关**的一项。)

| ❶ | 단풍 | 피서 | 수영 | 해수욕장 |

| ❷ | 봄 | 여름 | 가을 | 거울 |

| ❸ | 바람 | 구름 | 소풍 | 안개 |

| ❹ | 맑다 | 피다 | 개다 | 흐리다 |

| ❺ | 선선하다 | 쌀쌀하다 | 따뜻하다 | 독서하다 |

**3.** 다음에서 틀린 부분을 찾아 밑줄을 긋고 고치십시오. (请找出句中的错误，画线并改正。)

❶ 이 교실은 <u>조용하는데</u> 저 교실은 시끄러워요.
　　　　 → 조용한데

❷ 어제는 추운데 오늘은 따뜻해요.


❸ 이 아이가 걷을 수 있어요?


❹ 저는 전화를 걸은 후에 친구 집에 가요.


❺ 유진 씨가 열심히 공부했는 것 같아요.


❻ 리에 씨, 글씨를 잘 쓰군요.



**4.** 다음 대화를 완성하십시오. (请完成下列对话。)

❶ 가 : 내일 만날 수 있어요?

　나 : 아니요, <u>　만날 수 없어요　</u>.

　가 : 왜 _____?

　나 : _____ 어서/아서/여서 _____.

❷ 가 : 여기는 비가 오는데 서울은 어때요?

　나 : _____ 는데요, 은데요/ㄴ데요.

　가 : _____ 겠어요.

❸ 가 : 숙제를 다 한 후에 뭘 해요?

　나 : _____.

　가 : 그럼 _____ 은/ㄴ 후에는 뭘 해요?

　나 : _____.

❹ 가 : 영수 씨는 날마다 학교에 늦게 와요.

　나 : _____ 는/은/ㄴ 것 같아요.

**5.** 다음 [보기]에서 단어를 골라 대화를 완성하십시오. ( 请选择适当的单词完成对话。)

| [보기] | 배우다 | 수영하다 | 피곤하다 |
|---|---|---|---|
| | 비가 오다 | 날씨가 흐리다 | 회사 일이 끝나다 |

진수 : 보라 씨는 어느 계절을 좋아하세요?

보라 : 저는 여름이 좋아요. 여름에는 ❶ <u>수영할</u> 을/ㄹ 수 있어요.

진수 : 그럼 내일 수영하러 갈까요?

　　　저도 지난 달부터 ❷ _____고 있어요.

보라 : 아, 그래요? 그런데 내일은 ❸ _____을/ㄹ 것 같아요.

　(진수 씨가 창 밖의 하늘을 봅니다. 하늘이 흐립니다.)

진수 : 정말 ❹ _____군요.

보라 : 그럼 주말에 갈까요?

진수 : 그래요, 그럼 토요일에 ❺ _____은/ㄴ 후에 연락할게요.

보라 : 토요일에도 회사에 가세요? ❻ _____겠어요.

진수 : 괜찮아요. 저는 제 일이 재미있어요.

## 듣기 연습 MP3: 27~28

**6.** 다음 문장을 듣고 **맞지 않는** 대답을 고르십시오. (请听录音，选择**错误**的答案。)

1) (　　　　)

❶ 내일은 맑겠지요?
❷ 어제보다 따뜻해요.
❸ 오후에 비가 올 것 같아요.
❹ 밖에 바람이 많이 부는 것 같아요.

2) (　　　　)

❶ 기쁘시겠어요.
❷ 기분이 좋겠어요.
❸ 열심히 공부하겠어요.
❹ 선생님께서 좋아하시겠어요.

3) (　　　　)

❶ 재미있을 거예요.
❷ 아주 사람이 많군요.
❸ 글쎄요, 잘 모르겠어요.
❹ 맛있는 음식이 많을 것 같아요.

**7.** 다음 이야기를 들으십시오. 그리고 [보기]에서 알맞은 사람의 이름을 골라 (　　) 안에 쓰십시오. (请听录音，选择适当的人名填入（　）内。)

[보기] 에릭 빌리 준호 요코 리에 보라 스티브 샤오밍

❶ (　　　　)
❷ (　　　　)
❸ (　　　　)
❹ (　　　　)
❺ (　　　　)
❻ (　　　　)
❼ (　　　　)
❽ (　　　　)

**8.** 다음 대화를 읽고 질문에 대답하십시오. ( 请阅读下文，回答问题。 )

미선 : 여보세요, 진수 씨, 안녕하세요?

진수 : 아, 미선 씨, 잘 있었어요?

미선 : 네, 잘 지내고 있어요. 지금 서울은 장마철인데 시드니는 어때요?

진수 : 여기는 지난 주부터 추워요. 지금 밖에 눈이 내리고 있어요.

미선 : 눈이 오면 스키를 탈 수 있겠군요.

진수 : 네, 모레 스키를 타러 갈 거예요.

미선 : 재미있겠어요. 저도 스키를 타고 싶지만 배우지 않아서 탈 수 없어요.

진수 : 미선 씨는 장마가 끝난 후에 뭘 할 거예요?

미선 : 장마가 이번 주말쯤 끝날 것 같아요.

　　　다음 주에는 제주도로 피서를 갈 거예요.

진수 : 제주도보다 설악산이 더 가깝고 좋지 않아요?

미선 : 네, 저도 설악산에 가고 싶어요.

　　　하지만 제주도에는 친구가 있는데 설악산 근처에는 친구가 없어요.

진수 : 그렇군요. 그럼 여행 잘 다녀오세요.

1) 시드니는 지금 무슨 계절입니까? ( 悉尼现在是什么季节？ )

2) 미선 씨는 왜 스키를 탈 수 없습니까? ( 美善为什么不能滑雪？ )

3) 미선 씨는 왜 설악산에 가지 않고 제주도로 갑니까? ( 美善为什么不去雪岳山，而是去济州岛？ )

4) 위 글의 내용과 같으면 O, 다르면 X표 하십시오. ( 与上文内容一致请画○，不一致请画×。 )

　❶ 진수 씨가 미선 씨에게 전화를 걸었습니다.　　　　　(　　　)

　❷ 지금 서울은 여름입니다.　　　　　　　　　　　　(　　　)

　❸ 진수 씨는 스키를 탈 수 없습니다.　　　　　　　　(　　　)

　❹ 서울은 이번 주말에 비가 그칠 것 같습니다.　　　　(　　　)

　❺ 미선 씨는 설악산보다 제주도를 좋아합니다.　　　　(　　　)

**9.** 여러분은 다음 세 곳 중에서 어디에 살고 싶습니까? 친구들과 이야기하십시오. (以下三个地方，大家想住在哪里呢？与同伴一起做个口语问答练习吧。)

❶ 이 곳은 날씨가 언제나 따뜻하고 산이 아름답습니다. 사람이 많지 않습니다. 근처에 학교와 큰 시장이 없습니다.

❷ 이 곳은 날씨가 언제나 춥고 스키장이 있습니다. 극장과 백화점이 많고 사람도 많이 삽니다.

❸ 이 곳은 날씨가 언제나 덥고 바다가 있습니다. 술집과 식당이 많고 관광객이 많이 옵니다.

[보기]

피터 : 마리 씨는 어디에서 살고 싶어요?

마리 : 저는 ❷번에서 살고 싶어요.

피터 : 왜 거기에서 살고 싶어요?

마리 : 저는 스키를 잘 탈 수 있어서 스키장에 자주 가요.
그리고 ❷번에는 백화점과 극장이 있어서 더 **재미있을 것 같아요.**

피터 : ❸번은 어떨 것 같아요?

마리 : ❸번은 너무 **더울 것 같아요.**
저는 **더운 날씨보다 추운 날씨가** 더 좋아요.

피터 : ❸번은 어디인 것 같아요?

마리 : **하와이인 것 같아요.**

**10.** 다음 표의 질문으로 친구들과 이야기하십시오. ( 请用下表给出的问句与同伴进行口语问答练习。 )

| 질문 | 친구 1 | 친구 2 |
|---|---|---|
| 1) 오늘 날씨가 어때요? | | |
| 2) ............씨 고향은 요즘 날씨가 어때요? | | |
| 3) 어느 계절을 좋아하세요? 왜요? | | |
| 4) 저는 .......... 에 한국에 왔는데 .......... 씨는 언제 왔어요? | | |
| 5) 어느 나라 말을 할 수 있어요? | | |
| 6) 한국말을 배운 후에 뭘 하고 싶어요? | | |
| 7) 한국말 공부보다 중요한 것이 뭐예요? | | |
| 8) 우리 교실에서 누가 바쁜 것 같아요? | | |
| 9) 우리 교실에서 누가 술을 잘 마시는 것 같아요? | | |
| 10) 우리 교실에서 누가 일찍 결혼할 것 같아요? | | |

# 제10과 휴일과 방학

## 10과 1항

### 어휘

**1.** 다음과 관계있는 단어를 쓰십시오. ( 请写出与以下内容相关的单词。 )

❶

| 일요일 | 크리스마스 | 학교와 회사가 모두 쉬는 날이에요. | → | 공휴일 |
|---|---|---|---|---|

❷

| 학생 | 여름, 겨울 | 학교에 가지 않아요. | → | |
|---|---|---|---|---|

❸

| 회사원 | 여행 | 며칠 동안 회사에 가지 않고 쉴 수 있어요. | → | |
|---|---|---|---|---|

❹

| 설날 | 추석 | 보통 3일이나 4일 동안 쉬어요. | → | |
|---|---|---|---|---|

**2.** 다음 〈보기〉에서 알맞은 단어를 골라 ( ) 안에 고쳐 쓰십시오. ( 请选择合适的词语并用其适当形式填空。 )

[보기]  계획이 있다    계획이 없다    계획을 세우다    계획이 생기다

❶ 가 : 주말에 다른 ( 계획이 생기면 )으면/면 저에게 연락을 주세요.
　　나 : 네, 알겠어요.

❷ 가 : 크리스마스에 뭘 하실 거예요?
　　나 : 아직 ( 　　　　　　 )어요/아요/여요.

❸ 가 : 같이 이번 여행 ( 　　　　　　 )을까요?/ㄹ까요?
　　나 : 네, 좋아요.

❹ 가 : 방학을 재미있게 보낼 수 있는 좋은 ( 　　　　　 )어요?/아요?/여요?
　　나 : 저는 여행을 많이 할 거예요.

## 문법

### Vst 으려고/려고 하다

**3.** 다음 문장을 '-으려고/려고 하다'를 사용해서 바꿔 쓰십시오. ( 请使用 "-으려고/려고 하다" 改写句子。)

❶ 주말에 여행을 가다 ➔ 주말에 여행을 가려고 합니다 .

❷ 동대문시장에서 옷을 사다 ➔ _____.

❸ 도서관에서 책을 읽다 ➔ _____.

❹ 추워서 창문을 닫다 ➔ _____.

❺ 조용한 음악을 듣다 ➔ _____.

❻ 서울에서 살다 ➔ _____.

**4.** 다음은 존슨과 미선의 여행 계획입니다. 표를 보고 대화를 완성하십시오. ( 以下是约翰逊和美善的旅行计划。请看下表完成对话。)

| | 존슨 | 미선 |
|---|---|---|
| 어디? | 부산 | 제주도 |
| 언제? | 다음 주말 | 이번 주말 |
| 누구하고? | 혼자 | 반 친구 |
| 무슨 음식? | 회 | 삼겹살 |

존슨 : 미선 씨, 이번 방학에 뭘 하려고 해요?

미선 : ❶ 여행을 하려고 해요.

존슨 : 저도 여행을 하려고 해요. 미선 씨는 어디에 가려고 해요?

미선 : 저는 ❷ _____. 존슨 씨는 어디에 가려고 해요?

존슨 : 저는 ❸ _____. 미선 씨는 언제 가려고 해요?

미선 : 저는 ❹ _____.

존슨 : 저는 다음 주말에 가려고 해요.

미선 : 존슨 씨는 누구하고 같이 가려고 해요?

존슨 : ❺ _____. 미선 씨는 누구하고 같이 가려고 해요?

미선 : ❻ _____.

제주도는 삼겹살이 맛있어요. 그래서 ❼ _____.

존슨 : 저는 부산에 바다가 있으니까 맛있는 ❽ _____.

## N 동안

**5.** 다음 질문에 대답하십시오. ( 请回答下列问题。)

**❶ 가 :** 몇 시간 동안 책을 읽었어요? (2시간)

　　**나 :** 2시간 동안 책을 읽었어요　　　　　　　.

**❷ 가 :** 며칠 동안 부산에 있었어요? (3일)

　　**나 :** 　　　　　　　　　　　　　　　　.

**❸ 가 :** 얼마 동안 병원에 있었어요? (일주일)

　　**나 :** 　　　　　　　　　　　　　　　　.

**❹ 가 :** 얼마 동안 한국말을 배웠어요? (두 달 반)

　　**나 :** 　　　　　　　　　　　　　　　　.

**❺ 가 :** 몇 년 동안 미국에서 살았어요? (10년)

　　**나 :** 　　　　　　　　　　　　　　　.

**6.** 다음 표에 여러분의 계획을 쓰고 아래에 '-동안'을 사용해서 다시 한 문장으로 쓰십시오. ( 请在表中填写自己的计划，并使用 "-동안" 组成一个句子。)

| | 계획 |
|---|---|
| 1) 추석 연휴 | 고향에 가려고 해요. |
| 2) 여름 방학 | 유럽 여행을 할 거예요. |
| 3) 이번 학기 | |
| 4) | |
| 5) | |

**❶** 저는 추석 연휴 동안 고향에 가려고 해요　　　.

**❷** 　　　　　　　　　　　　　　　　.

**❸** 　　　　　　　　　　　　　　　　.

**❹** 　　　　　　　　　　　　　　　.

**❺** 　　　　　　　　　　　　　　　.

## 어휘

**1.** 다음 [보기]에서 여러분과 가족의 취미를 골라 쓰십시오. ( 请在下面所给的词语中选择自己和家人的爱好。)

> [보기]  영화 감상, 음악 감상, 사진 찍기, 그림 그리기, 노래 부르기, 독서,
> 컴퓨터 게임, 춤추기, 낚시, 운동, 바둑, 요리, 등산, 여행

| 가족 | 취미 |
|------|------|
| 나 | 여행, |
| 아버지 | |
| 어머니 | |
| | |
| | |

## 문법

### Vst 을/ㄹ 때

**2.** 다음을 '-을/ㄹ 때'를 사용해서 한 문장으로 만드십시오. ( 请使用 "-을/ㄹ 때" 组成一个句子。)

❶ 학교에 오다 / 지하철을 타요.

➡ 학교에 올 때 지하철을 타요                              .

❷ 머리가 아프다 / 이 약을 드세요.

➡ _____.

❸ 밥을 먹다 / 전화가 왔어요.

➡ _____.

❹ 문을 열다 / 조심하세요.

➡ _____.

❺ 날씨가 너무 춥다 / 학교에 가고 싶지 않아요.

➡ _____.

❻ 좋아하는 음악을 듣다 / 아주 행복해요.

➡ _____.

**3.** 다음 질문에 대답하십시오. ( 请回答下列问题。 )

| 돈이 많다 | 맛있는 음식을 먹다 | 가족과 함께 있다 |
|---|---|---|

❶ 가 : 언제 행복하세요?

　　나 : <u>가족과 함께 있을 때 행복해요</u> .

| 공부하다 | 아르바이트하다 | 날씨가 덥다 |
|---|---|---|

❷ 가 : 언제 힘들어요?

　　나 : _____ .

| 몸이 아프다 | 고향 음식을 먹다 | 주말에 혼자 있다 |
|---|---|---|

❸ 가 : 언제 가족을 보고 싶어요?

　　나 : _____ .

| 기분이 나쁘다 | 비가 오다 |
|---|---|

❹ 가 : 언제 술을 마시고 싶어요?

　　나 : _____ .

| 친구가 결혼하다 | 예쁜 아기를 보다 |
|---|---|

❺ 가 : 언제 결혼하고 싶어요?

　　나 : _____ .

| | | |
|---|---|---|

❻ 가 : 언제 _____ ?

　　나 : _____ .

**4.** 다음을 한 문장으로 만드십시오. ( 请使用所给的词语组成一个句子。 )

❶ 한국 음식/ 불고기/ 맛있어요.

➜ <u>한국 음식 중에서 불고기가 제일 맛있어요</u>.

❷ 한국에 있는 산/ 한라산 / 높아요.

➜ _____.

❸ 우리 반 친구/ 영수 씨/ 키가 커요.

➜ _____.

❹ 운동/ 축구 / 잘 해요.

➜ _____.

❺ 고기/ 닭고기/ 자주 먹어요.

➜ _____.

**5.** 다음 대화를 완성하십시오. ( 请完成下列对话。 )

❶

| 말하기 | 듣기 | 읽기 | 쓰기 |
|---|---|---|---|

가 : 지난번에 본 시험 중에서 <u>무슨 시험이 제일 어려웠어요?</u>

나 : <u>저는 말하기가 제일 어려웠어요.</u>

❷

| 한국 | 스위스 | 중국 | |
|---|---|---|---|

가 : 지금까지 여행한 나라 중에서 _____?

나 : _____.

**③**

| 하숙집<br>아주머니 | 어학당<br>선생님 | 반 친구<br>⋯⋯⋯씨 | |
|---|---|---|---|

가 : 한국에서 만난 사람 중에서 ⋯⋯⋯⋯⋯⋯⋯⋯⋯⋯⋯?

나 : ⋯⋯⋯⋯⋯⋯⋯⋯⋯⋯⋯⋯⋯⋯⋯⋯⋯⋯⋯⋯⋯⋯⋯⋯.


**④**

| 스페인어 | 한국어 | 독일어 | |
|---|---|---|---|

가 : ⋯⋯⋯⋯⋯⋯⋯⋯⋯ 어느 나라 말이 제일 어려웠어요?

나 : ⋯⋯⋯⋯⋯⋯⋯⋯⋯⋯⋯⋯⋯⋯⋯⋯⋯⋯⋯⋯⋯⋯⋯⋯.


**⑤**

| 비빔밥 | 불고기 | 냉면 | |
|---|---|---|---|

가 : ⋯⋯⋯⋯⋯⋯⋯⋯⋯⋯⋯⋯⋯⋯⋯⋯⋯⋯⋯⋯⋯⋯?

나 : ⋯⋯⋯⋯⋯⋯⋯⋯⋯⋯⋯⋯⋯⋯⋯⋯⋯⋯⋯⋯⋯⋯⋯⋯.

## 어휘

**1.** 여러분이 알고 있는 영화의 제목을 쓰십시오. ( 请写出大家知道的电影名。 )

| | 영화제목 |
|---|---|
| 공포 영화 | 13일의 금요일 |
| 액션 영화 | 007 |
| 코미디 영화 | |
| 만화 영화 | |
| 전쟁 영화 | |
| 멜로 영화 | 러브스토리 |
| 공상 과학 영화 | |
| 가족 영화 | |

**2.** 다음 단어를 보고 예매가 필요하면 '예매', 예약이 필요하면 '예약'이라고 쓰십시오. ( 请看下列单词需要预购的请写 "예매" ，需要预约的请写 "예약" 。 )

| 기차표 | 호텔 | 일식집 | 콘서트 표 | 야구경기 표 | 병원 |
|---|---|---|---|---|---|
| 예매 | | | | | |

## 문법

### N에 N쯤

**3.** 다음을 한 문장으로 만드십시오. ( 请使用所给的词语组成一个句子。 )

❶ 하루 / 7시간 / 잠을 자요.

➜ 하루에  7시간쯤 잠을 자요_____ .

❷ 일주일 / 한 번 / 부모님께 전화를 해요.

➜ _____ .

❸ 일 년 / 네 번 / 고향에 가요.

➜ _____ .

④ 한 학기 / 두 번 / 시험을 봐요.

➜ _____ .

⑤ 두 달 / 한 번 / 극장에 가요.

➜ _____ .

⑥ 육 개월 / 한 번 / 여행을 해요.

➜ _____ .


**4.** 다음 계획표를 보고 대답하십시오. ( 请看下面的计划表，回答问题。)

| 일요일 | 월요일 | 화요일 | 수요일 | 목요일 | 금요일 | 토요일 |
|--------|--------|--------|--------|--------|--------|--------|
|  |  |  |  |  | 1 | 2 영화보기 |
| 3 | 4 영어<br>(7시-9시) | 5 | 6 영어<br>(6시-8시) | 7 | 8 수영 | 9 |
| 10 등산 | 11 | 12 영어<br>(5시-7시) | 13 | 14 영어<br>(8시-9:55분) | 15 | 16 |
| 17 | 18 | 19 영어<br>(7시-9시) | 20 수영 | 21 | 22 | 23 |
| 24 등산 | 25 영어<br>(8시-10시) | 26 | 27 | 28 영어<br>(6시-8:10분) | 29 | 30 |

❶ 가 : 얼마나 자주 수영을 해요?

　　나 : 이 주일에 한 번쯤 수영을 해요 ___ .

❷ 가 : 얼마나 자주 영화를 봐요?

　　나 : _____ .

❸ 가 : 한 달에 몇 번쯤 등산을 해요?

　　나 : _____ .

❹ 가 : 일주일에 몇 번쯤 영어를 공부해요?

　　나 : _____ .

❺ 가 : 하루에 몇 시간쯤 영어를 공부해요?

　　나 : _____ .

**5.** 다음 질문에 대답하십시오. ( 请回答下列问题。 )

❶ 가 : 읽기 숙제를 했어요?

　　나 : 아니요, 단어가 너무 어려워서 숙제를 못 했어요                    .

❷ 가 : 어제 밤에 영화를 봤어요?

　　나 : 아니요, 영화표가 다 팔려서                    .

❸ 가 : 점심을 먹었어요?

　　나 : 아니요, 수업이 늦게 끝나서                    .

❹ 가 : 생일 선물을 샀어요?

　　나 : 아니요, 시간이 없어서                    .

❺ 가 : 아침에 운동을 했어요?

　　나 : 아니요, 늦게 일어나서                    .

**6.** 다음 표를 보고 '못-'과 '-을/ㄹ 수 있다'를 사용해서 대답하시오. ( 请看下表，使用 "못-"和"-을/ㄹ 수 있다" 回答问题。 )

| | 수영 | 잡채 | 러시아어 | 스키 | 피아노 |
|---|---|---|---|---|---|
| 할 수 있다 | | | ✓ | | ✓ |
| 할 수 없다 | ✓ | ✓ | | ✓ | |

❶ 가 : 수영을 할 수 있어요?

　　나 : 아니요, 수영을 못 해요                    .

❷ 가 : 잡채를 만들 수 있어요?

　　나 :                    .

❸ 가 : 러시아어를 할 수 있어요?

　　나 :                    .

❹ 가 : 스키를 탈 수 있어요?

　　나 :                    .

❺ 가 : 피아노를 칠 수 있어요?

　　나 :                    .

## 어휘

**1.** 다음 운동에 알맞은 동사를 '하다, 치다, 타다'중에서 골라 쓰십시오. ( 请从动词"하다,치다, 타다"中选择与以下运动相搭配的词。)

| 등산 | 골프 | 스키 | 당구 | 축구 | 스노보드 |
|------|------|------|------|------|----------|
| 하다 | | | | | |

| 탁구 | 자전거 | 야구 | 테니스 | 태권도 | 스케이트 |
|------|--------|------|--------|--------|----------|
| | | | | | |

## 문법

### Vst 기 전에

**2.** 다음 문장을 '-기 전에'를 사용해서 바꿔 쓰십시오. ( 请使用"-기 전에"改写句子。)

❶ 손을 씻고 밥을 먹어요.

➡ 밥을 먹기 전에 손을 씻어요.

❷ 이를 닦고 세수를 해요.

➡ ............................................ .

❸ 옷을 입고 화장을 했어요.

➡ ............................................ .

❹ 예습을 하고 수업을 들었어요.

➡ ............................................ .

❺ 창문을 열고 청소를 하세요.

➡ ............................................ .

❻ 전화를 하고 영수 씨 집에 갑시다.

➡ ............................................ .

**3.** 다음은 민우 씨의 하루입니다. 그림을 보고 '-기 전에'를 사용해서 문장을 만드십시오. ( 以下是敏宇的一天。请看图，使用 "-기 전에" 完成句子。)

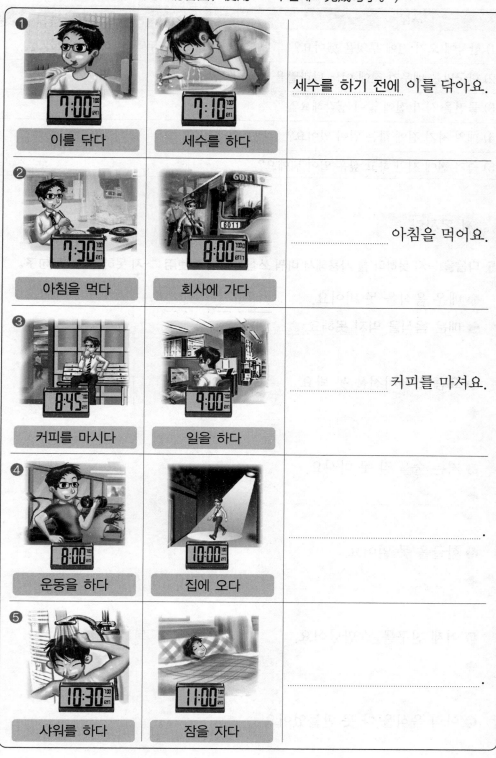

① 이를 닦다 / 세수를 하다

세수를 하기 전에 이를 닦아요.

② 아침을 먹다 / 회사에 가다

..................... 아침을 먹어요.

③ 커피를 마시다 / 일을 하다

..................... 커피를 마셔요.

④ 운동을 하다 / 집에 오다

......................................... .

⑤ 샤워를 하다 / 잠을 자다

......................................... .

**4.** 다음 질문에 여러분의 대답을 쓰십시오. ( 请写出自己的答案。 )

| 시간 | 계획 |
|---|---|
| 1) 한국에 오기 전에 무엇을 했어요? | 무역회사에서 일했어요. |
| 2) 한국말을 배우기 전에 어느 나라말을 배웠어요? | |
| 3) 물건을 사기 전에 많이 생각해요? | |
| 4) 매일 자기 전에 하는 일이 있어요? | |
| 5) 죽기 전에 제일 하고 싶은 일이 뭐예요? | |

## Vst 지 못하다

**5.** 다음을 '-지 못하다'를 사용해서 바꿔 쓰십시오. ( 请使用 "-지 못하다" 改写句子。 )

❶ 매운 음식을 못 먹어요.

➡ 매운 음식을 먹지 못해요          .

❷ 요즘 텔레비전을 못 봐요.

➡ ........................................ .

❸ 저는 술을 잘 못 마셔요.

➡ ........................................ .

❹ 한글을 못 읽어요.

➡ ........................................ .

❺ 어제 친구를 못 만났어요.

➡ ........................................ .

❻ 아직 음식을 다 못 만들었어요.

➡ ........................................ .

**6.** 다음 표를 보고 '-지 못하다'를 사용해서 대답하십시오. ( 请看下表，使用 "-지 못하다" 回答问题。)

| | 운전 | 기타 | 프랑스어 | 골프 | 스키 |
|---|---|---|---|---|---|
| 요코 | ○ | ○ | × | × | ○ |
| 제니 | × | × | ○ | ○ | × |
| 미나 | ○ | × | ○ | × | ○ |

❶ 가 : 누가 운전하지 못해요?

나 : <u>제니 씨가 운전하지 못해요</u>.

❷ 가 : 미나 씨는 기타를 칠 수 있어요?

나 : .........................................................

❸ 가 : 누가 프랑스어를 하지 못해요?

나 : .........................................................

❹ 가 : 요코 씨는 골프를 칠 수 있어요?

나 : .........................................................

❺ 가 : 스키를 타지 못하는 사람은 누구예요?

나 : .........................................................


**7.** 다음 대화를 완성하십시오. ( 请完成下列对话。)

❶ 가 : 잘 잤어요?

나 : 아니요, <u>잘 자지 못했어요</u>.

가 : 왜 잘 <u>자지 못했어요</u>?

나 : <u>배가 아파서 잘 자지 못했어요</u>.


❷ 가 : 백화점에서 선물을 많이 샀어요?

나 : 아니요, .........................................................

가 : 왜 ........................................................?

나 : .........................................................

❸ 가 : 어제 영화를 봤어요?

　나 : 아니요, ＿＿＿＿＿＿＿＿＿＿＿＿＿ .

　가 : 왜 ＿＿＿＿＿＿＿＿＿＿＿＿＿ ?

　나 : ＿＿＿＿＿＿＿＿＿＿＿＿＿ .


❹ 가 : 한국말을 잘 해요?

　나 : 아니요, ＿＿＿＿＿＿＿＿＿＿＿＿＿ .

　가 : 왜 ＿＿＿＿＿＿＿＿＿＿＿＿＿ ?

　나 : ＿＿＿＿＿＿＿＿＿＿＿＿＿ .


❺ 가 : 부모님께 자주 전화를 해요?

　나 : 아니요, ＿＿＿＿＿＿＿＿＿＿＿＿＿ .

　가 : 왜 ＿＿＿＿＿＿＿＿＿＿＿＿＿ ?

　나 : ＿＿＿＿＿＿＿＿＿＿＿＿＿ .

## 어휘

**1.** 다음에서 알맞은 단어를 찾아 쓰십시오. ( 请找出适当的单词并写出来。)

| 독 | 서 | 그 | 음 | 당 | 구 | 볼 |
|---|---|---|---|---|---|---|
| 사 | 스 | 림 | 악 | 멜 | 낚 | 시 |
| 진 | 노 | 그 | 감 | 코 | 미 | 디 |
| 찍 | 보 | 리 | 상 | 춤 | 추 | 기 |
| 기 | 드 | 기 | 비 | 만 | 탁 | 테 |
| 영 | 르 | 축 | 구 | 화 | 구 | 니 |
| 공 | 상 | 과 | 학 | 가 | 족 | 스 |

❶ 취미 : <u>독서,</u>

❷ 영화 : <u>가족 영화,</u>

❸ 운동 : <u>스노보드,</u>

**2.** 다음 〈보기〉에서 알맞은 단어를 골라 밑줄에 쓰십시오. ( 请选择合适的词语并用其适当
形式填空。)

> [보기]  세우다,  끝나다,  찍다,  예매하다,  예약하다,  편하다,  치다

❶ 어제 오후에는 친구하고 탁구를 <u>  치  </u> 으러/러 학교에 갔어요.

❷ 시험이 <u>     </u> 으면/면 다음 주부터 방학이에요.

❸ 추석 연휴에는 일찍 기차표를 <u>     </u> 으세요/세요.

❹ 여행을 가기 한 달 전부터 계획을 <u>     </u> 었어요/았어요/였어요.

❺ 동생 졸업식에 사진을 <u>     </u> 어/아/여 주러 갔어요.

❻ 요즘은 인터넷이나 TV홈쇼핑으로 물건을 살 수 있어서 <u>     </u> 어요/아요/여요.

❼ 제주도에 갔을 때 호텔을 <u>     </u> 지 않아서 방이 없었어요.

**3.** 다음에서 **틀린** 곳을 찾아 밑줄을 긋고 맞게 고치십시오. (请找出句中的**错误**，画线并改正。)

❶ 자기 전에 친구가 준 CD를 <u>들르려고</u> 합니다.

→ 들으려고

❷ 저는 10년 후에는 미국에서 살으려고 해요.

❸ 4일 동안에 여행을 했어요.

❹ 날씨가 춥을 때는 밖에 나가지 마세요.

❺ 한국 중에서 제일 높은 산은 어디예요?

❻ 지금까지 본 영화 중에서 제일 영화는 뭐였어요?

❼ 한 달 두 번쯤 등산을 해요.

❽ 어제는 못 숙제했어요.

❾ 집에 오는 전에 전화하세요.

**4.** 다음 대화를 완성하십시오. (请完成下列对话。)

❶ 가 : 한국어를 배운 후에 무엇을 하려고 해요?

나 : <u>한국 회사에 취직하려고 해요</u>.

❷ 가 : 고향에 돌아가기 전에 하고 싶은 일이 뭐예요?

나 : _____.

❸ 가 : 스키를 잘 타세요?

나 : 아니요, _____.

❹ 가 : 지금까지 읽은 책 중에서 뭐가 제일 재미있었어요?

나 : _____.

❺ 가 : _____?

나 : 6개월 동안 한국어를 공부했어요.

❻ 가 : _____?

나 : 한 달에 두 번쯤 영화를 봐요.

**5.** 다음 〈보기〉에서 알맞은 문형을 **한 번씩만** 사용해서 대화를 완성하십시오. ( 请选择适当的句型完成对话，每个**仅限一次**。)

> **[보기]**
>
> −으려고/려고 하다,   −동안,   −을/ㄹ 때,   −중에서 ,   −에,   −기 전에는,   못−

진수 : 미나 씨는 이번 휴가에 뭘 하실 거예요?

미나 : 제주도에 ❶ 가려고 해요. (가다)

진수 : 얼마동안 제주도에 있을 거예요?

미나 : ❷ _____ (일주일) 있을 거예요.

진수 : 미나 씨가 지금까지 ❸ _____ (여행한 곳) 어디가 제일 좋았어요?

미나 : 저는 설악산이 제일 좋았어요.

진수 : 미나 씨는 얼마나 자주 여행을 하세요?

미나 : ❹ _____ (일 년) 두 번쯤 여행을 해요. ❺ _____
　　　(결혼하다) 자주 했는데 요즘은 바빠서 자주 ❻ _____.(하다)

진수 : 여행 잘 다녀오세요. 참, ❼ _____ (돌아오다) 제 선물 잊지 마세요.

**6.** 다음 문장을 듣고 뜻이 같은 문장을 고르십시오. ( 请听录音，选择意思相同的句子。)

1) (         )

❶ 저는 스키를 안 타요.

❷ 저는 스키를 잘 타지 않아요.

❸ 저는 스키를 잘 탈 수 있어요.

❹ 저는 스키를 잘 탈 수 없어요.

2) (         )

❶ 저는 밥을 먹고 물을 마셔요.

❷ 저는 물을 마셔서 밥을 먹어요.

❸ 저는 물을 마신 후에 밥을 먹어요.

❹ 저는 밥을 먹은 후에 물을 마셔요.

3) (         )

❶ 방학에 제주도에 갔어요.

❷ 방학에 제주도에 갈 거예요.

❸ 방학에 제주도에 갈 수 없어요.

❹ 방학에 제주도에 가고 싶지 않아요.

**7.** 다음 인터뷰를 듣고 대답하십시오. (请听采访录音，回答问题。)

---

### 인터뷰

이름 : 박 민호 감독 (45살)

❶ 박 감독이 그동안 많이 찍은 영화는?　　　　　(멜로, 액션, 코미디)

❷ 박 감독이 어릴 때 좋아한 영화는?　　　　　　(멜로, 액션, 코미디)

❸ 박 감독이 이번에 찍은 영화는?　　　　　　　(멜로, 액션, 코미디)

❹ 박 감독이 좋아하는 운동은?　　　　　　　　(야구, 축구, 농구)

❺ 박 감독의 취미는?　　　　　　　　　　　　(낚시, 바둑, 등산)

　　　　　　　　　　　　　　　　　　　　　　네　　　아니요

❻ 박 감독은 다음 영화 계획이 지금은 없습니다.　……………　✓

❼ 박 감독은 혼자 낚시하는 것을 좋아하지 않습니다.　……………　……………

❽ 박 감독은 축구를 잘 하지 못합니다.　　　　……………　……………

❾ 박 감독은 이번 영화가 끝난 후 한 달 동안 중국에서
　쉴 것 같습니다.　　　　　　　　　　　　……………　……………

---

**8.** 다음 대화를 읽고 질문에 대답하십시오. ( 请阅读下文，回答问题。 )

> 정희 : 진수 씨, 지난 주말에 뭘 하셨어요?
>
> 진수 : 골프를 쳤어요.
>
> 정희 : 골프를 자주 치세요.
>
> 진수 : 네, 골프를 좋아해서 보통 주말에 시간이 있을 때마다 쳐요.
>
> 정희 : 골프를 얼마 동안 배웠어요?
>
> 진수 : 일 년쯤 배웠어요.
>
> 정희 : 그럼 잘 치시겠는데요. 좀 가르쳐 주세요.
>
> 진수 : 아직 잘 치지는 못하지만 시간이 있을 때 가르쳐 드릴게요.
>
> 정희 : 이번 주말에도 골프를 치실 거예요?
>
> 진수 : 아니요, 이번 주말에는 동생과 등산을 하려고 해요.
>
> 정희 : 등산도 좋아하세요?
>
> 진수 : 아니요, 동생이 등산을 좋아해서 같이 가려고 해요.
>
> 정희 : 저도 등산을 좋아해요.
>
> 진수 : 그럼, 이번 주말에 우리하고 같이 등산을 갑시다.
>
> 정희 : 이번 주말에는 다른 약속이 있어요.
>
>        다음에 같이 갑시다.

1) 진수 씨의 취미는 무엇입니까? ( 珍秀的爱好是什么？ )

2) 진수 씨는 이번 주말에 무엇을 하려고 합니까? ( 珍秀这个周末想做什么？ )

3) 위 글의 내용과 같으면 O, 다르면 X표 하십시오. ( 与上文内容一致请画○，不一致请画×。 )

  ❶ 진수 씨는 자주 골프를 칩니다.                                      (        )

  ❷ 진수 씨는 일 년 정도 골프를 배워서 아주 잘 칩니다.              (        )

  ❸ 정희 씨는 진수 씨한테서 골프를 배우고 싶어합니다.              (        )

  ❹ 진수 씨 동생은 등산을 별로 좋아하지 않습니다.                   (        )

  ❺ 정희 씨는 등산을 좋아하지만 이번 주말에는 같이 등산을
     할 수 없습니다.                                                  (        )

## 말하기 연습

**9.** 다음을 읽고 세 사람의 취미에 대해 〈보기〉와 같이 친구들과 이야기하십시오. 그리고 여러분의 취미에 대해서도 이야기하십시오. (请看图，仿照例子和同伴讨论一下下面三个人的爱好，并围绕自己的爱好与同伴进行口语问答练习。)

만화 영화
일주일에 한 번
라이언 킹
영화 감상
남자 친구
리사

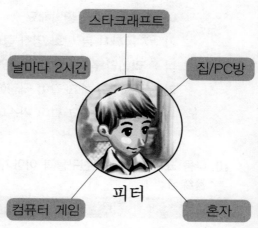

스타크래프트
날마다 2시간
집/PC방
컴퓨터 게임
혼자
피터

데이빗 베컴
주말마다
골키퍼
축구
반 친구
민호

?

[보기] 가 : 리사 씨, 취미가 뭐예요?

나 : 영화 감상이에요.

가 : 얼마나 자주 영화를 봐요?

나 : 일주일에 한 번 쯤 봐요.

가 : 그래요? 어떤 영화를 좋아하세요?

나 : 만화 영화를 좋아해요.

가 : 지금까지 본 만화 영화 중에서 뭐가 제일 재미있었어요?

나 : '라이언 킹'이 제일 재미있었어요?

가 : 주로 누구하고 같이 극장에 가요?

나 : 남자 친구하고 같이 가는데 요즘은 남자 친구가 바빠서 자주 못 가요.

**10.** 다음 표의 질문으로 친구들과 이야기 하십시오. ( 请用下表给出的问句与同伴进行口语问答练习。)

| 질문 | 친구 1 | 친구 2 |
|---|---|---|
| 1) 방학 동안 무엇을 하려고 해요? | | |
| 2) (1번 대답이 여행) 어디로 가려고 해요?<br>(1번 대답이 여행이 아님) 방학 동안 여행을<br>할 계획이 있어요? | | |
| 3) 여행을 할 때 무엇을 가지고 가요? | | |
| 4) 여행을 할 때 주로 누구하고 같이 가요? | | |
| 5) 지금까지 여행한 곳 중에서 어디가 제일 좋았어요? | | |
| 6) 일 년에 몇 번쯤 여행을 가요? | | |
| 7) 여행을 가기 전에 뭘 준비하세요? | | |
| 8) 잘 못 먹는 음식이 있어요? | | |
| 9) 여행을 할 때 식당에서 잘 못 먹는<br>음식이 나오면 어떻게 해요? | | |
| 10) 여행할 때 화장실에 가고 싶은데<br>그 나라 말을 하지 못하면 어떻게 할 거예요? | | |

다음 질문에 대답하십시오. ( 请回答下列问题。)

1. 산은 산인데 올라갈 수 없는 산은 무엇입니까?

2. 물은 물인데 딱딱한 물은 무엇입니까?

3. 금은 금인데 사람들이 싫어하는 금은 무엇입니까?

4. 미안할 때 먹는 과일은 무엇입니까?

5. 등산을 좋아하는 할아버지는 누구입니까?

6. 아가씨들이 가고 싶어하는 집은 무엇입니까?

7. 남자들도 가끔 입는 치마는 무엇입니까?

8. 신발 속에 살고 있는 말은 무엇입니까?

9. 볼 수 있지만 만질 수 없는 것은 무엇입니까?

10. 빨간색 바다에 까만색 배가 떠 있는 것은 무엇입니까?

I. 다음 [보기]에서 알맞은 조사를 골라 (           ) 안에 쓰십시오. ( 请选择适当的助词填入 ( ) 内。)

> [보기] 과/와,    에게,    으로/로,    에서 ~까지,    이나/나,
>        한테서,    만,    보다,    동안,    에서 ,    에 ~쯤

1. 우리 반 학생 중(           ) 누가 제일 키가 커요?

2. 아래층(           ) 내려가면 사무실이 있어요.

3. 동생은 고기를 먹지 않고 야채(           ) 먹어요.

4. 영수 씨는 어제 동생(           ) 편지를 보냈어요.

5. 책상 위에 시계(           ) 사전(           ) 교과서가 있어요.

6. 서울(           ) 부산(           ) KTX(기차)를 타고 갔어요.

7. 한국에 가면 기숙사(           ) 하숙집에서 살려고 해요.

8. 지하철이 버스(           ) 더 빨라요.

9. 생일 선물로 남자 친구(           ) 시계를 받았어요.

10. 얼마(           ) 한국어를 공부하셨어요?

11. 저는 한 달(           ) 두 번(           ) 영화를 봐요.


II. 다음 (           ) 안에 알맞은 단어를 고르십시오. ( 请选择适当的单词填入 ( ) 内。)

1. 지금은 바쁘니까 (           ) 전화하세요.

    ① 똑바로        ② 언제나        ③ 이따가        ④ 틈틈이


2. 이번 겨울은 (           ) 추울 거예요.

    ① 잘            ② 아마          ③ 바로          ④ 잘못


3. 어제 쓴 편지를 (           ) 보내지 못했습니다.

    ① 더            ② 요즘          ③ 자주          ④ 아직

**4.** 주말에는 (　　　) 사진을 찍으러 산에 가요.

①아주　　　②주로　　　③별로　　　④제일

**5.** 내일은 (　　　) 일찍 올게요.

①꼭　　　②참　　　③어서　　　④가끔

Ⅲ. 다음 [보기]에서 알맞은 단어를 골라 (　　　)안에 쓰십시오. ( 请选择适当的单词填入
（　　）内。)

> [보기]　글쎄요,　그럽시다,　잠깐만요,　그래요,　괜찮아요

**1.** 가 : 마리아 씨, 내일 시간 있으세요?

　　나 : (　　　　　　　　　). 잘 모르겠는데요.

**2.** 가 : 오늘 수업이 끝나면 내일부터 방학이에요.

　　나 : (　　　　　　　　　)? 방학 동안 뭘 하실 거예요?

**3.** 가 : 어디 아프세요?

　　나 : 아니요, (　　　　　　　　　). 좀 피곤해서 그래요.

**4.** 가 : 하숙집 열쇠가 있어요?

　　나 : (　　　　　　　　　). 찾아볼게요.

**5.** 가 : 오후에 영화 보러 갑시다.

　　나 : (　　　　　　　　　). 무슨 영화를 보고 싶으세요?

Ⅳ. 다음 [보기]의 문형을 **한 번씩만** 사용해서 두 문장을 한 문장으로 만드십시오. (请使用以下句型将两句话连成一句，每个句型**仅限一次**。)

[보기] −으면/면, −는데, 은데/ㄴ데, −지만, −어서/아서/여서, −으니까/니까, −기 전에

1. 저는 봄을 좋아합니다. / 수진 씨는 어느 계절을 좋아합니까?

2. 어제 편지를 썼습니다. / 친구에게 보냈습니다.

3. 날마다 잠을 잡니다. / 샤워를 합니다.

4. 오늘은 바쁩니다. / 내일 만납시다.

5. 방학을 합니다. / 어디에 가고 싶습니까?

6. 피곤합니다. / 숙제를 하고 자겠습니다.


Ⅴ. 두 문장 중에서 맞는 것에 ○표 하십시오. (请在正确的句子后面画○。)

1. 횡단보도를 건너서 오른쪽으로 가세요.　　　( 　 )
　　　　　　건너고　　　　　　　　　　　( 　 )

2. 학생들이 공부해서 떠들지 마십시오.　　　( 　 )
　　　공부하니까　　　　　　　　　　　( 　 )

3. 김 선생님은 벌써 결혼해서 아이도 있어요.　( 　 )
　　　　　　결혼하고 있어서　　　　　　( 　 )

4. 저는 부모님한테서 선물을 받았어요.　　　( 　 )
　　　부모님께서　　　　　　　　　　　( 　 )

5. 한국에서 제일 높은 산은 백두산이에요.　　( 　 )
　한국 중에서　　　　　　　　　　　　( 　 )

지난 일요일에 제임스 씨와 함께 월드컵 공원에 갔습니다.

길을 잘 ＿＿＿＿＿ 어서/아서/여서 여러 사람에게 ＿＿＿＿＿ 었습니다/
　　　　　(모르다)　　　　　　　　　　　　　　　(묻다)
았습니다/였습니다.

일요일이어서 공원에는 사람들이 많았습니다. ＿＿＿＿＿

사진을 찍는 학생들, 친구와 함께 ＿＿＿＿＿ 는, 은/ㄴ 아이들, 물건을
　　　　　　　　　　　　　　　(놀다)

＿＿＿＿＿ 는, 은/ㄴ 사람들 …….
　(팔다)
우리는 배가 ＿＿＿＿＿ 아서/어서/여서 공원 안에 있는 ＿＿＿＿＿
　　　　　(고프다)　　　　　　　　　　　　　　　(가깝다)
는, 은/ㄴ 식당에 갔습니다. 우리는 김치찌개를 시켰습니다. 조금 ＿＿＿＿＿
　　　　　　　　　　　　　　　　　　　　　　　　　　　(맵다)

었지만/았지만/였지만 맛있었습니다. 식당에서 나와서 우리는 하늘공원까지

＿＿＿＿＿ 었습니다/았습니다/였습니다. 그리고 많은 이야기를 했습니다.
　(걷다)
우리는 나라와 말과 생각이 많이 ＿＿＿＿＿ 었지만/았지만/였지만 좋은
　　　　　　　　　　　　　　　(다르다)
친구가 됐습니다. 하늘공원에 도착했을 때 하늘에서 ＿＿＿＿＿ 는, 은/ㄴ
　　　　　　　　　　　　　　　　　　　　　　　　　(하얗다)
눈이 내렸습니다. 온 세상이 ＿＿＿＿＿ 었습니다/았습니다/였습니다.
　　　　　　　　　　　　(하얗다)

**VII.** 다음 두 문장을 [보기]와 같이 한 문장으로 만드십시오. (请仿照例子，将两句话连成一句。)

> [보기] 지금 읽습니다. / 책이 무슨 책입니까?
> → 지금 읽는 책이 무슨 책입니까?

**1.** 우리는 모두 다릅니다. / 나라에서 왔습니다.

**2.** 만나고 싶지 않습니다. / 사람이 있어요?

**3.** 재미있습니다. / 이야기를 듣고 싶습니다.

**4.** 그 사람 전화번호를 압니다. / 사람이 있어요?

**5.** 어제 배웠습니다. / 단어를 복습하세요.

**6.** 내일 하겠습니다. / 일이 많습니다.

**VIII.** 다음 대화를 완성하십시오. (请完成下列对话。)

**1.** 가 : 백화점에는 왜 가세요?
　　나 : _____ 으러/러 가요.

**2.** 가 : 한국 생활이 어때요?
　　나 : _____ 지만 _____.

**3.** 가 : 우산을 빌려 드릴까요?
　　나 : 네, _____.

**4.** 가 : _____?
　　나 : 친절하고 재미있는 남자가 좋아요.

**5.** 가 : 길 좀 묻겠습니다. 연세대학교가 어디에 있습니까?

　나 : ＿＿＿＿＿＿＿＿ 어서/아서/여서 ＿＿＿＿＿＿＿＿ .

**6.** 가 : 어제 산 옷을 왜 바꿨어요?

　나 : ＿＿＿＿＿＿＿＿ 어서/아서/여서 ＿＿＿＿＿＿＿＿ .

**7.** 가 : 창문을 닫을까요?

　나 : 아니요, ＿＿＿＿＿＿＿＿ 으니까/니까 ＿＿＿＿＿＿＿＿ .

**8.** 가 : 이 일을 누가 하겠습니까?

　나 : ＿＿＿＿＿＿＿＿＿＿＿＿ 을게요/ㄹ게요.

**9.** 가 : ＿＿＿＿＿＿＿＿＿＿＿＿＿＿＿＿ ?

　나 : 아니요, 너무 멀어서 걸어서 갈 수 없어요.

**10.** 가 : 리에 씨, 수업 후에 같이 영화를 보러 갑시다.

　　나 : ＿＿＿＿＿＿＿＿＿＿ 는데요, 은데요/ㄴ데요.

**11.** 가 : 주말에 뭘 할 거예요?

　　나 : ＿＿＿＿＿＿＿＿＿＿＿＿＿＿＿＿ .

**12.** 가 : 지금 뭐해요?

　　나 : ＿＿＿＿＿＿＿＿＿＿ 고 있어요.

**13.** 가 : 왜 한국말을 배워요?

　　나 : ＿＿＿＿＿ 으려고/려고 ＿＿＿＿＿＿＿ .

**14.** 가 : 왜 여자가 남자보다 더 오래 살아요?

　　나 : ＿＿＿＿＿ 어서/아서/여서 ＿＿＿＿＿ 는, 은/ㄴ 것 같아요.

**15.** 가 : _____ ?

　　나 : 에베레스트 산이 제일 높아요.


**16.** 가 : 언제 술을 마시고 싶어요?

　　나 : _____ 으면/면 _____ .


**17.** 가 : _____ ?

　　나 : 아니요, 수영을 잘 못해요.


**18.** 가 : 언제 결혼할 거예요?

　　나 : _____ 은/ㄴ 후에 _____ .

（填字游戏）

| 1. | 2. | | 7. | | 9. | | 10. | | |
|---|---|---|---|---|---|---|---|---|---|
| | | | 8. | | | | | | |
| | 3. | 4. | | | | | 11. | 12. | |
| | | 5. | | | | | | 13. | 14. |
| 6. | | | | | | 19. | | | |
| | | | 15. | | 16. | | | | |
| | 22. | | | | | | | | |
| | | | | | 17. | 18. | | | 20. |
| 23. | | 24. | | | | | | 21. | |
| | | 25. | | | | | | | |

[가로 열쇠] （横向线索）

**1.** 한국어를 잘 쓸 수 없어서 저는 핸드폰으로 ........... 메시지를 보낼 수 없습니다

**3.** 여기, ........., 저기

**5.** 수업 후에 학생들이 집에 가서 하는 공부입니다.

**6.** 여행하는 것을 도와주는 회사입니다.

**8.** 한국 사람들은 생일에 ......... 국을 먹습니다.

**11.** 책을 파는 가게입니다.

YONSEI KOREAN 1 WORKBOOK

13. 학생들은 여기에서 배우고 선생님들은 여기에서 가르칩니다.

15. 서로 아주 좋아합니다. 저는 여자 친구를 ............ 어서/아서/여서 결혼하고
    싶습니다.

17. 청소, 빨래 등 주로 어머니가 집에서 하시는 일입니다.

21. 사과, 배, 포도, 바나나, 키위는 모두 ......... 입니다.

23. 시장보다 비싼 물건을 파는 곳입니다.
    한국에는 롯데, 현대, 신세계 등이 있습니다.

25. 방 하나에 부엌과 화장실이 있는 집입니다. 대학교 근처에 많이 있습니다.


[세로 열쇠] (纵向线索)

2. 가까운 거리를 가거나 운동할 때 많이 타는 교통수단입니다.
   바퀴가 2개입니다.

4. 학생들이 사는 곳입니다. 학교 안에 있습니다.

7. 시간이 있을 때 자주 하는 것입니다. 여행, 낚시, 독서, 영화 감상 등

9. 제임스 씨는 연세대학교 어학당에서 ......... 을/를 배웁니다.

10. 재미있는 이야기책입니다. 조금 긴 책입니다.

12. 학생들은 여름과 겨울 ...... 때 학교에 가지 않고 집에서 쉬거나 여행을 합니다.

14. 대학에서 학생들을 가르치는 선생님입니다.

16. 학생들과 회사원들이 여기에서 많이 삽니다.
    자기 집이 아니고 아주머니가 밥을 해 줍니다.

18. 인천 공항에 ........ 이/가 많이 끼어서 비행기가 출발하지 못했습니다.

19. 지하철, 버스, 비행기, 스키, 스케이트를 ............ .

20. ........ 을/를 하면 물건을 싸게 살 수 있습니다.

22. 운동할 때 신는 가벼운 신발입니다.

24. 가게에서 일하는 사람입니다.

# 부록

- 불규칙 용언 연습
- 듣기 지문
- 정답

# 불규칙 용언 연습

| 기본형 | | – 습니다 / ㅂ니다 | – 어요 / 아요 / 여요 | – 으니까 / 니까 | – 을까요 ?/ ㄹ까요 ? | – 는 , – 은 / ㄴ |
|---|---|---|---|---|---|---|
| ㄹ 불규칙 용언 | 달다 | 답니다 | | | | |
| | 살다 | | 살아요 | | | |
| | 알다 | | | 아니까 | | |
| | 팔다 | | | | 팔까요 ? | |
| | 열다 | | | | | 여는 |
| | 놀다 | | | | | |
| | 만들다 | | | | | |
| ㅂ 불규칙 용언 | 맵다 | 맵습니다 | | | | |
| | 덥다 | | 더워요 | | | |
| | 춥다 | | | 추우니까 | | |
| | 쉽다 | | | | 쉬울까요 ? | |
| | 어렵다 | | | | | 어려운 |
| | 돕다 | | | | | |
| | * 좁다 | | 좁아요 | | | |
| | * 입다 | | | 입으니까 | | |
| | * 잡다 | | | | 잡을까요 ? | |
| ㅎ 불규칙 용언 | 빨갛다 | 빨갛습니다 | | | | |
| | 노랗다 | | 노래요 | | | |
| | 하얗다 | | | 하야니까 | | |
| | 이렇다 | | | | 이럴까요 ? | |
| | 그렇다 | | | | | 그런 |
| | 저렇다 | | | | | |

| 기본형 | | – 습니다 / ㅂ니다 | – 어요 / 아요 / 여요 | – 으니까 / 니까 | – 을까요 ?/ ㄹ까요 ? | – 는 , – 은 / ㄴ |
|---|---|---|---|---|---|---|
| ㄷ 불규칙 용언 | 걷다 | 걷습니다 | | | | |
| | 듣다 | | 들어요 | | | |
| | 묻다 | | | 물으니까 | | |
| | 싣다 | | | | 실을까요 ? | |
| | * 받다 | | 받아요 | | | |
| | * 닫다 | | | 닫으니까 | | |
| | * 믿다 | | | | 믿을까요 ? | |
| ㄹ 불규칙 용언 | 고르다 | 고릅니다 | | | | |
| | 다르다 | | 달라요 | | | |
| | 모르다 | | | 모르니까 | | |
| | 빠르다 | | | | 빠를까요 ? | |
| | 부르다 | | | | | 부르는 |
| | 자르다 | | | | | |

## 한글 연습

**모음 연습 1**    P6

**3.** 1) 아  2) 어  3) 오  4) 으  5) 위  6) 외

**4.** 1) 우  2) 이  3) 오  4) 외  5) 오이  6) 아우

**자음 연습 1**    P11

**3.** 1) 로  2) 더  3) 사  4) 비  5) 후  6) 기

**4.** 1) 다  2) 누  3) 시  4) 포  5) 저  6) 키  7) 나리  8) 거기  9) 하다  10) 회사

**5.** 1) 너  2) 그  3) 라  4) 토  5) 지  6) 추  7) 아기  8) 지구  9) 포도  10) 치마

**모음 연습 2 와 자음 연습 2**    P14

**3.** 1) 까  2) 디  3) 포  4) 수  5) 쯔  6) 예  7) 좌  8) 거

**4.** 1) 따  2) 씨  3) 겨  4) 의  5) 에  6) 가치  7) 차다  8) 뿌리  9) 사과  10) 의사

**5.** 1) 빠  2) 또  3) 워  4) 교  5) 의미  6) 좌우

**받침 연습 1**    P16

**3.** 1) 강  2) 물  3) 독  4) 점  5) 싫다  6) 전신

**4.** 1) 김  2) 절  3) 빵  4) 선물  5) 종이  6) 감독

**1 과 5 항**    P38

**5.** 1) 저는 한국 사람입니다 .

2) 진수 씨는 은행원입니다 .

3) 우리 선생님은 여자가 아닙니다 .

4) 요코 씨는 잡니다 .

**6.** 안녕하십니까 ? 저는 샤오밍입니다 . 중국에서 왔습니다 .

제 친구들을 소개하겠습니다 . 이사벨 씨는 스위스 사람입니다 . 선생님입니다 . 마리 씨는 일본 치바에서 왔습니다 . 여자 경찰입니다 . 후엔 씨는 베트남 사람입니다 . 하노이 병원 의사입니다 . 우리는 지금 한국어학당 학생입니다 . 날마다 학교에 갑니다 . 열심히 공부합니다 .

**2 과 5 항**    P59

**6.** 1) 가 : 이것이 사전입니까 ?

나 : 네 , 그렇습니다 .

가 : 그럼 저것은 무엇입니까 ?

나 : 연필입니다 .

2) 가 : 달력이 있습니까 ?

　　나 : 네 , 있습니다 .

　　가 : 지도도 있습니까 ?

　　나 : 아니요 , 없습니다 .

3) 가 : 우체국이 어디에 있습니까 ?

　　나 : 학생회관에 있습니다 .

　　가 : 학생회관은 어디에 있습니까 ?

　　나 : 식당 옆에 있습니다 .

7. 리에 씨 방입니다 . 방에는 침대가 있습니다 . 침대 위에는 잡지가 있습니다 . 침대 옆에는 책상이 있습니다 . 책상 위에는 컴퓨터가 있습니다 . 책상 밑에는 가방이 있습니다 . 책상 옆에 의자가 있습니다 . 의자 위에는 전화가 있습니다 . 의자 옆에는 냉장고가 있습니다 . 냉장고 안에는 맥주가 있습니다 . 냉장고 밖에는 우유가 있습니다 .

**3 과 5 항**　　P79

6. 1) 가 : 무엇을 합니까 ?

　　　나 : 저는 음악을 듣습니다 .

2) 가 : 책이 몇 권 있습니까 ?

　　　나 : 5 권 있습니다 .

3) 가 : 미선 씨 가방이 어떻습니까 ?

　　　나 : 가방이 작고 예쁩니다 .

4) 가 : 여자하고 남자가 무엇을 합니까 ?

　　　나 : 여자는 쉬고 남자는 운동을 합니다 .

7. 이것은 우리 가족 사진입니다 . 여기는 우리 집 앞입니다 . 아버지는 은행원이십니다 . 키가 작고 조용하십니다 . 어머니는 고등학교 역사 선생님이십니다 . 오빠는 키가 크고 재미있습니다 . 여자 친구 이야기를 자주 합니다 . 언니하고 남동생은 노래를 좋아합니다 . 날마다 노래를 부릅니다 . 이 사진에서도 노래를 합니다 . 저는 대학생입니다 . 연세대학교에서 영문학을 공부합니다 .

**4 과 5 항**　　P104

6. 1) 같이 식당에 갈까요 ?

2) 무슨 음식을 좋아하십니까 ?

3) 불고기 맛이 어떻습니까 ?

7. 종업원 : 뭘 드릴까요 ?

　제임스 : 이 식당에 삼계탕이 있습니까 ?

　종업원 : 아니요 , 없습니다 .

제임스 : 불고기는 있습니까 ?

종업원 : 네 , 있습니다 .

제임스 : 짜지 않습니까 ?

종업원 : 네 , 짜지 않습니다 . 맛있습니다 .

제임스 : 리에 씨는 뭘 드시겠습니까 ?

　리에 : 전 김치찌개를 먹고 싶습니다 .

제임스 : 김치찌개는 맵지 않습니까 ?

　리에 : 조금 맵습니다 .

종업원 : 그럼 , 불고기 일 인분하고 김치찌개 하나 드릴까요 ?

　리에 : 네 , 그리고 콜라도 두 병 주십시오 .

`5 과 5 항`　　P132

**5.** 1) 이 김치가 맵지요 ?

2) 지금 어디에서 사세요 ?

3) 숙제를 하고 뭘 했어요 ?

**6.** 가 : 안녕하세요 ? 시아 씨 , 요즘 바쁘시지요 ? 콘서트가 언제부터예요 ?

나 : 다음 달 5 일부터 15 일까지예요 .

가 : 오늘이 며칠이지요 ? 아 , 9 월 3 일이군요 . 시아 씨의 노래를 빨리 듣고 싶어요 . 콘서트 시
　　간은 몇 시부터예요 ?

나 : 저녁 7 시부터 9 시까지예요 .

가 : 작년에는 콘서트를 안 하셨지요 ?

나 : 네 , 그래요 . 작년에는 시간이 없었어요 .

가 : 참 , 이번 콘서트가 날마다 있어요 ?

나 : 아니요 , 월요일에는 쉬어요 .

가 : 날마다 열심히 연습하세요 ?

나 : 그럼요 , 오늘도 인터뷰가 끝나고 연습해요 .

가 : 이번 콘서트가 끝나고 뭘 하고 싶어요 ?

나 : 여행을 가고 싶어요 . 저는 여행을 아주 좋아해요 .

`6 과 5 항`　　P163

**7.** 1) 가 : 오후에 선물을 사러 갑시다 .

　　　나 : 그럽시다 . 뭘 살까요 ?

　　　가 : 장미꽃과 케이크를 삽시다 .

　　　나 : 어디에서 살까요 ?

　　　가 : 학교 앞에 꽃 가게도 있고 빵집도 있어요 .

　　　나 : 그럼 거기에 갑시다 . 그리고 문방구에서 생일 카드도 삽시다 .

2) 손님 : 예쁜 치마 있어요?

　　주인 : 네, 구경하세요. 이 노란색 치마는 어때요?

　　손님 : 그건 너무 짧아요. 긴 치마는 없어요?

　　주인 : 빨간색이 있어요.

　　손님 : 그럼 그걸 주세요.

3) 손님 : 생선 한 마리에 얼마예요?

　　주인 : 5,000원입니다.

　　손님 : 좀 비싸요. 깎아 주세요.

　　주인 : 그럼, 4,000원 주십시오.

　　손님 : 감사합니다. 두 마리 주세요.

8. 왕빈 : 우리 반 친구들 사진이에요.

　미선 : 왕빈 씨는 어디에 있어요?

　왕빈 : 여기 잠을 자는 사람이 저예요. 저는 쉬는 시간에 가끔 잠을 자요.

　미선 : 왕빈 씨 옆에 앉은 남학생은 누구예요?

　왕빈 : 전화하는 남학생은 피터 씨이고 공부하는 남학생은 톰 씨예요.

　미선 : 피터 씨는 누구에게 전화를 해요?

　왕빈 : 피터 씨는 여자 친구가 미국에 있어요.

　　　　그래서 여자 친구에게 자주 전화를 해요.

　미선 : 여기 이야기를 하는 여학생은 누구예요?

　왕빈 : 머리가 긴 여학생은 제인 씨이고 머리가 짧은 여학생은 요코 씨예요.

　미선 : 그럼, 커피를 마시는 여학생이 왕빈 씨 여자 친구예요?

　왕빈 : 아니요. 커피를 마시는 여학생은 미나 씨예요.

　　　　제 여자 친구는 교실에 없었어요.

**7 과 5 항**　　P190

6. 1) 실례지만 길 좀 묻겠습니다.

　2) 여기서 명동까지 얼마나 걸려요?

　3) 추우니까 창문을 닫을까요?

7. 제임스 : 리에 씨, 오늘이 제 생일이에요. 우리 집에서 파티를 하니까 6시까지 오세요.

　　리에 : 아, 그래요? 제임스 씨 집이 어디예요?

　제임스 : 2호선 잠실역 근처예요.

　　리에 : 잠실 역에서 제임스 씨 집까지 어떻게 가요?

　제임스 : 잠실 역 2번 출구로 나와서 똑바로 가세요.

　　　　　은행이 있어요. 은행 앞 횡단보도를 건너서 오른쪽으로 10m 쯤 가세요.

　　　　　거기에 약국이 있어요. 약국 옆 집이 우리 집이에요.

리에 : 제가 음식을 가지고 갈까요 ?

제임스 : 아니요 , 제가 많이 만들었으니까 가지고 오지 마세요 .

리에 : 그럼 맥주를 가지고 갈까요 ?

제임스 : 아니요 , 저는 술을 안 마시니까 가지고 오지 마세요 .

리에 : 그럼 뭘 가지고 갈까요 ?

제임스 : 케이크가 없으니까 케이크를 가지고 오세요 .

리에 : 네 , 알겠어요 .

### 8 과 5 항     P211

6. 1) 언제 전화하겠습니까 ?

2) 주말에 뭘 할 거예요 ?

3) 누구한테서 전화가 왔어요 ?

7. 남자 : 여보세요 .

영수 : 여보세요 , 거기 332-7650 번 아니에요 ?

남자 : 아닙니다 . 잘못 거셨습니다 . 여기는 331-7650 번입니다 .

영수 : 미안합니다 .

'띠띠띠' 다시 전화 거는 소리

미선 : 여보세요 .

영수 : 실례지만 , 거기 김미선 씨 댁이지요 ?

미선 : 네 , 맞는데요 . 누구세요 ?

영수 : 미선 씨 , 저 영수예요 . 오늘 저녁에 시간이 있어요 ?

미선 : 오늘 저녁에는 민철 씨하고 동대문시장에 갈 거예요 .

영수 : 몇 시에 갈 거예요 ?

미선 : 5 시에 학교 앞 버스정류장에서 만날 거예요 .

영수 : 그럼 , 내일 저녁은 어때요 ?

미선 : 괜찮아요 . 그런데 왜요 ?

영수 : 같이 영화 보러 가요 .

미선 : 네 , 좋아요 . 몇 시에 만날까요 ?

영수 : 6 시에 만나요 .

미선 : 어디에서 만날까요 ?

영수 : 신촌 지하철역 4 번 출구에서 만나요 .

미선 : 알겠어요 . 그럼 , 내일 봐요 .

### 9 과 5 항     P236

6. 1) 영주 씨 , 지금 서울 날씨가 어때요 ?

2) 기말 시험을 잘 봤어요 .

3) 내일 파티가 어떨까요 ?

7. 요코 씨는 지금 전화를 하고 있어요 .
   리에 씨는 짧은 치마를 입고 있어요 .
   준호 씨는 배가 아픈 것 같아요 .
   보라 씨는 운전을 잘 할 수 없어요 .
   스티브 씨는 머리가 길어요 .
   에릭 씨는 스티브 씨보다 키가 커요 .
   샤오밍 씨는 친구를 기다리고 있어요 .
   아 ! 저기 한 사람이 오는군요 . 아마 샤오밍 씨 친구 빌리 씨인 것 같아요 .

**10 과 5 항**   P258

6. 1) 저는 스키를 잘 못 타요 .
   2) 저는 밥을 먹기 전에 물을 마셔요 .
   3) 방학에 제주도에 가려고 해요 .

7. 김 기자 : 안녕하세요 ? 박 감독님 ! 한국 신문 김희선 기자입니다 .
   박 감독 : 네 , 안녕하세요 ?
   김 기자 : 이번 영화 재미있게 잘 봤습니다 . 그동안 멜로 영화를 많이 찍으셨는데 이번에는 액션
   　　　　 영화를 찍으셨군요 . 무슨 이유가 있습니까 ?
   박 감독 : 어릴 때부터 액션 영화를 좋아했습니다 . 그래서 감독이 되면 액션 영화를 만들고 싶었
   　　　　 습니다 .
   김 기자 : 그럼 , 다음에도 액션 영화를 찍으려고 하십니까 ?
   박 감독 : 아니요 , 다음에는 코미디 영화를 찍으려고 합니다 .
   김 기자 : 박 감독님 취미는 무엇입니까 ?
   박 감독 : 저는 낚시를 좋아해요 . 주말에는 혼자 자주 낚시를 하러 갑니다 .
   김 기자 : 잘 하시는 운동이 있으세요 ?
   박 감독 : 축구를 좋아해요 . 잘 하지는 못하지만 친구들하고 자주 합니다 .
   김 기자 : 이번 영화가 끝난 후의 계획 좀 말씀해 주십시오 .
   박 감독 : 먼저 몇 주정도 집에서 쉴 거예요 . 그리고 한 달 동안 중국에 가서 다음 영화를 준비할
   　　　　 거예요 .
   김 기자 : 그렇군요 , 지금까지 인터뷰해 주셔서 감사합니다 .

YONSEI KOREAN 1 WORKBOOK

# 정 답

## 한글 연습

### 모음 연습 1

3. 2) ② 3) ② 4) ③ 5) ③ 6) ②

4. 2) 이 3) 오 4) 외 5) 오이 6) 아우

### 자음 연습 1

3. 2)O 3)X 4)X 5)O 6)X

4. 2) ① 3) ② 4) ③ 5) ② 6) ① 7) ①
8) ② 9) ③ 10) ②

5. 2) 그 3) 라 4) 토 5) 지 6) 추 7) 아기 8) 지
구 9) 포도 10) 치마

### 모음 연습 2 와 자음 연습 2

3. 2)X 3)X 4)X 5)O 6)X 7)O 8)X

4. 2) ② 3) ① 4) ③ 5) ② 6) ① 7) ② 8) ③
9) ② 10) ③

5. 2) 또 3) 워 4) 교 5) 의미 6) 좌우

### 받침 연습 1

3. 2) ② 3) ① 4) ① 5) ③ 6) ①

4. 2) 절 3) 빵 4) 선물 5) 종이 6) 감독

## 제 1 과 인사

### 1 과 1 항

1. 2) 구 3) 학 4) 선생

2. 2) 남자입니다 . 3) 이영수입니다 . 4) 제 친구
입니다 . 5) 선생님입니다 . 6) 연세대학교입
니다 .

3. 2) 한국입니다 . 3) 김미선입니다 . 4) 아이스
크림입니다 .

4. 2) 마리아 씨는 제 친구입니다 . 3) 저는 샤오
밍입니다 . 4) 선생님은 여자입니다 . 5) 제 친
구는 영어 선생님입니다 .

5. 생략

### 1 과 2 항

1. 2) 미국 3) 일본 4) 호주 5) 중국 6) 캐나다 7)
러시아

2. 2) 미국 사람입니다 . 3) 독일 사람입니다 . 4)
인도 사람입니다 . 5) 가 : 어느 나라 사람입니
까 ? 나 : 한국 사람입니다 . 6) 가 : 어느 나라
사람입니까 ? 나 : 일본 사람입니다 .

3. 2) 선생님입니까 ? 3) 친구입니까 ? 4) 서울입
니까 ? 5) 호주 사람입니까 ? 6) 유정민 씨입
니까 ?

4. 2) 네 , 여자입니다 . 3) 아니요 , 일본입니다 .
4) 나지원 씨입니까 ? 5) 선생님입니까 ? 6)
가 : 인도 사람입니까 ? 나 : 네 , 인도 사람입
니다 .

### 1 과 3 항

1. 2) 기자 3) 의사 4) 경찰 5) 간호사

2. 2) 가 3) 가 4) 이 5) 이 6) 가

3. 2) 마이클입니다 . 제임스가 아닙니다 . 3) 남
자입니다 . 여자가 아닙니다 . 4) 미국 사람입
니다 . 중국 사람이 아닙니다 .

4. 2) 선생님이 아닙니다 . 학생입니다 . 3) 의사
가 아닙니다 . 경찰입니다 . 4) 부산이 아닙니
다 . 서울입니다 . 5) 아니요 , 오렌지가 아닙니
다 . 바나나입니다 . 6) 가 : 회사원입니까 ? 나 :
아니요 , 회사원이 아닙니다 . 간호사입니다 .

### 1 과 4 항

1. ① ④ ⑤ ⑥ ③

2.

|  | Vst 습니다 | Vst 습니까 ? |
|---|---|---|
| 먹다 | 먹습니다 | 먹습니까 ? |
| 읽다 | 읽습니다 | 읽습니까 ? |
| 입다 | 입습니다 | 입습니까 ? |
| 듣다 | 듣습니다 | 듣습니까 ? |
| 찾다 | 찾습니다 | 찾습니까 ? |
| 닫다 | 닫습니다 | 닫습니까 ? |
| 앉다 | 앉습니다 | 앉습니까 ? |

| | Vst ㅂ니다 | Vst ㅂ니까? |
|---|---|---|
| 가다 | 갑니다 | 갑니까? |
| 오다 | 옵니다 | 옵니까? |
| 자다 | 잡니다 | 잡니까? |
| 쓰다 | 씁니다 | 씁니까? |
| 보다 | 봅니다 | 봅니까? |
| 사다 | 삽니다 | 삽니까? |
| 쉬다 | 쉽니다 | 쉽니까? |
| 마시다 | 마십니다 | 마십니까? |
| 만나다 | 만납니다 | 만납니까? |
| 일하다 | 일합니다 | 일합니까? |
| 가르치다 | 가르칩니다 | 가르칩니까? |
| 인사하다 | 인사합니다 | 인사합니까? |
| 공부하다 | 공부합니다 | 공부합니까? |
| 노래하다 | 노래합니다 | 노래합니까? |

3. 2) 일합니다 . 3) 입습니다 . 4) 아니요 , 씁니
다 . 5) 가르칩니까? 6) 가 : 인사합니까? 나 :
네 , 인사합니다 .

### 1 과 5 항

1. 영국 , 의사 , 여자 친구 , 간호사
2. 2) 안녕히 계십시오 . 3) 어서 오십시오 . 4)
처음 뵙겠습니다 . 5) 안녕하십니까? 6) 안녕
히 주무십시오 .
3. 는 , 이 , 는 , 이
4. 2) 네 , 학생입니다 . 3) 아니요 , 김영수가 아
닙니다 . 정지훈입니다 . 4) 네 , 먹습니다 . 5)
아니요 , 듣습니다 .
5. 1)O 2)X 3)X 4)O
6. 1)

| 이름 | 어느 나라 사람입니까? |
|---|---|
| 샤오밍 | 중국 사람입니다 . |
| 이사벨 | 스위스 사람입니다 . |
| 마리 | 일본 사람입니다 . |
| 후엔 | 베트남 사람입니다 . |

2) ① O ② X ③ O ④ X
7. 1)O 2)X 3)O 4)X
8. ④ ② ① ⑤ , 생략
9. 생략

### 제 2 과 학교와 집

#### 2 과 1 항

1. 2) 볼펜 3) 교과서 4) 공책 5) 열쇠 6) 지갑
2. 2) 읽기책입니다 . 3) 과자입니다 . 4) 손수건
입니다 . 5) 신분증입니다 . 6) 거울입니다 .
3. 2) 가 3) 가 4) 이 5) 가 6) 이
4. 2) 회사원이 일합니다 . 3) 미선 씨가 쉽니다 .
4) 이것이 사전입니다 . 5) 친구가 기자입니
다 . 6) 제가 미국 사람입니다 .
5. 2) 연필이 아닙니다 . 열쇠입니다 . 3) 거울입
니다 . 4) 이것이 수첩입니까? 5) 저것이 가
방입니까? 6) 그것이 무엇입니까?

#### 2 과 2 항

1. 2)O     3)O     4)X     5)O     6)X
2. 많다 •⟍        ⟋• 작다
   크다 •⟍⟍⟋⟋• 나쁘다
   좋다 •⟋        ⟍• 적다
2) 돈이 적습니다 . 3) 텔레비전이 큽니다 . 4)
지우개가 작습니다 . 5) 연세대학교가 좋습니
다 . 6) 날씨가 나쁩니다 .
3. 2) 저것도 의자입니다 . 3) 저도 공부합니다 .
4) 학생들도 인사합니다 . 5) 지도도 큽니다 .
6) 볼펜도 많습니다 .
4. 2) 선생님도 공부합니까? 3) 마리 씨도 잡니
까? 4) 가방이 큽니까? 모자도 큽니까? 5) 제
임스 씨가 기자입니까? 영수 씨도 기자입니
까? 6) 연필이 많습니까? 공책도 많습니까?
5. 2) 책상이 있습니다 . 3) 텔레비전이 없습니
다 . 4) 의자가 있습니다 . 5) 학생이 있습니다 .
6) 선생님이 계십니다 .
6. 2) 창문이 있습니다 . 3) 의사 선생님이 계십
니다 . 4) 일본 사람이 있습니까? 5) 돈이 있
습니까? 6) 김 교수님이 계십니까?

#### 2 과 3 항

1. 2) 서점 3) 식당 4) 우체국 5) 화장실 6) 사

# 정답

무실

2. 2) 뒤  3) 옆  4) 위  5) 안  6) 아래

3. 2) 교실 안에 학생이 없습니다 . 3) 학생들이 의자에 앉습니다 . 4) 지갑 안에 돈이 있습니까? 5) 방에 무엇이 없습니까? 6) 어디에 전화가 있습니까?

4. 2) 중국에 있습니다 . 3) 호주에 있습니다 . 4) 미국에 있습니다 . 5) 서울이 한국에 있습니까? 6) 토론토가 어디에 있습니까?

### 2 과 4 항

1. 2) 극장  3) 가게  4) 병원  5) 백화점  6) 시장

2. 2) 서점 안에 있습니다 . 3) 백화점 뒤에 있습니다 . 4) 시장이 어디에 있습니까? 5) 아이들이 어디에 있습니까? 6) 가 : 병원이 어디에 있습니까? 나 : 약국 위에 있습니다 . / 가 : 약국이 어디에 있습니까? 나 : 병원 아래에 있습니다 .

3. 2) 침대하고 냉장고가 없습니다 . 3) 박 선생님하고 김 선생님이 계십니다 . 4) 공책하고 연필이 많습니다 . 5) 러시아하고 캐나다가 큽니다 . 6) 친구하고 제가 공부합니다 .

4. 2) 연세대학교하고 병원이 있습니다 . 3) 침대하고 텔레비전이 있습니다 . 4) 선생님하고 학생이 있습니다 . 5) 과자하고 우유가 많습니다 . 6) 책상하고 의자가 많습니다 .

5. 생략

### 2 과 5 항

1.

2. 생략

3. 2) 이 , 도 3) 에 , 이 4) 이 , 에 5) 하고 6) 는 , 이

4. 2) 지갑입니다 . 3) 네 , 있습니다 . 4) 달력도

있습니까? 5) 사전하고 볼펜이 있습니다 . 6) 의자는 어디에 있습니까?

5.

저는 츠베토바 안드레이 (입니다), 있습니다 ). 러시아 사람 (입니다), 있습니다 ). 부모님이 ( 있습니다 , 계십니다). 저는 대학생 (입니다), 있습니다 ). 학교 이름이 모스크바 대학교 (입니다), 있습니다 ). 학생이 (많습니다), 큽니다 ). 중국 학생이 ( 입니다 , 있습니다). 한국 학생도 ( 입니다 , 있습니다). 중국 학생이 (많습니다), 큽니다 ). 한국 학생도 (많습니다), 적습니다 ). 저는 중국 친구가 ( 입니다 , 있습니다). 친구 이름이 왕 신빙 (입니다), 있습니다 ). 남자 (입니다), 있습니다 ). 저는 한국 친구는 ( 있습니다 , 없습니다).

6. 1) ②  2) ①  3) ③

7. 2) 4  3) 5  4) 3  5) 1  6) 2

8. 2) 미선 씨는 연세대학교 학생입니다 . 3) 마리아 씨 집은 신촌에 있습니다 . 4) 미선 씨 집 근처에 롯데월드하고 백화점하고 공원이 있습니다 . 5) 잠실에 롯데월드하고 백화점이 있습니다 .

9. 생략  10. 생략

### 쉼터 1

→ 창문 , 선생님 , 지도  ↓ 인도 , 이름 , 지갑  우체국 , 호주 , 주스    여권 , 우리 , 교실 , 신문  학교 , 사람 , 백화점    사전 , 의자 , 화장실  한국 , 기자 , 회사원    거울 , 교회 , 처음

## 제 3 과 가족과 친구

### 3 과 1 항

1. 2) ③  3) ⑥  4) ①  5) ⑤  6) ④

2. 존슨 씨는 ( 날마다 ) 일을 합니다 . 그리고 ( 날마다 ) 한국말을 공부합니다 . 존슨 씨는

영화하고 운동을 좋아합니다 . 그래서 영화를
( 자주 ) 봅니다 . 운동도 ( 자주 ) 합니다 . 존
슨 씨는 ( 가끔 ) 미선 씨를 만납니다 . 산책도
( 가끔 ) 합니다 .

3. 2) 를 3) 를 4) 을 5) 를 6) 을
4. 1) 친구 • • 읽다 → 신문을 읽습니다 .
   2) 신문 • • 입다 → 옷을 입습니다 .
   3) 갈비 • • 쓰다 → 한글을 씁니다 .
   4) 옷 • • 만나다 → 친구를 만납니다 .
   5) 한글 • • 마시다 → 우유를 마십니다 .
   6) 우유 • • 먹다 → 갈비를 먹습니다 .
5. 2) 커피를 마십니다 . 3) 톰 크루즈를 좋아합
   니다 . 4) 텔레비전을 봅니다 . 5) 무엇을 가르
   칩니까 ? 6) 누구를 만납니까 ?

## 3 과 2 항

1.

| 1 | 2 | 3 | 4 | 5 |
|---|---|---|---|---|
| 하나 | 둘 | 셋 | 넷 | 다섯 |
| 한 권 | 두 권 | 세 권 | 네 권 | 다섯 권 |
| 6 | 7 | 8 | 9 | 10 |
| 여섯 | 일곱 | 여덟 | 아홉 | 열 |
| 여섯 권 | 일곱 권 | 여덟 권 | 아홉 권 | 열 권 |

2. 2) 다섯 권 있습니다 . 3) 두 명 있습니다 . 4)
   사과가 몇 개 있습니까 ? 5) 가 : 잡지가 몇 권
   있습니까 ? 나 : 네 권 있습니다 .
3. 2) 할머니 3) 아버지 4) 어머니 5) 오빠 6) 언
   니 7) 남동생
4. 2) 어머니께서 일하십니다 . 3) 선생님께서 앉
   으십니다 . 4) 할머니께서 병원에 계십니다 .
   5) 교수님께서 말씀하십니다 . 6) 할아버지께
   서 김치를 잡수십니다 .
5. 2) 할아버지께서 주무십니다 . 3) 할머니께서
   무엇을 하십니까 ? 4) 형이 무엇을 합니까 ? 5)
   가 : 어머니께서 무엇을 하십니까 ? 나 : 어머
   니께서 커피를 드십니다 .
6.
안녕하십니까 ? 제 이름은 마이클 (입니다) 이

십니다 ). 우리 부모님은 미국에 ( 있습니다 ,
(계십니다) ). 우리 어머니께서는 한국 사람 ( 입
니다 ,(이십니다) ). 저는 지금 한국 할머니 ((집),
댁 ) 에 ((있), 계십니다 ). 저는 한국 친
구가 ((많습니다), 많으십니다 ). 부모님도 한국
친구가 ( 많습니다 ,(많으십니다) . 그분들을 자
주 ( 만납니다 ,(만나십니다) . 저는 부모님을
(사랑합니다), 사랑하십니다 ). 부모님께서도
저를 ( 사랑합니다 ,(사랑하십니다).

## 3 과 3 항

1. [ 보기 ] 2) 덥다 : 여름 , 온돌방 , 하와이 3) 예
   쁘다 : 꽃 , 여자 , 옷 4) 복잡하다 : 시내 , 학생
   식당 , 서울 5) 조용하다 : 도서관 , 시골 , 교
   회 6) 시원하다 : 에어컨 , 바람 , 냉면
2.
오늘은 날씨가 춥습니다 . 여기는 제 하숙집 방
입니다 . 제 방은 깨끗합니다 . 지금 방에 사람
이 많습니다 . 우리는 파티를 합니다 . 록 음악
을 듣습니다 . 록 음악이 시끄럽습니다 . 우리는
음식을 먹습니다 . 음식이 맛있습니다 . 우리는
이야기도 많이 합니다 . 파티는 재미있습니다 .

3.
1) 여자 친구가 예쁩니다 . • • 시끄럽습니다 .
2) 식당이 복잡합니다 . • • 더럽습니다 .
3) 방이 좁습니다 . • • 친절합니다 .
4) 이분은 의사입니다 . • • 동생은 주스를 마십니다 .
5) 서울은 한국에 있습니다 . • • 저분은 간호사입니다 .
6) 저는 밥을 먹습니다 . • • 런던은 영국에 있습니다 .
   2) 식당이 복잡하고 시끄럽습니다 . 3) 방이
   좁고 더럽습니다 . 4) 이 분은 의사이고 저 분
   은 간호사입니다 . 5) 서울은 한국에 있고 런
   던은 영국에 있습니다 . 6) 저는 밥을 먹고 동
   생은 주스를 마십니다 .
4. 2) 친구가 친절하고 재미있습니다 . 3) 연세대
   학교가 넓고 좋습니다 . 4) 우리 선생님이 예
   쁘고 친절하십니다 . 5) 냉면이 시원하고 맛

있습니다 . 6) 동대문시장이 복잡하고 시끄럽습니다 .

### 3 과 4 항

1. 2) 역사학 3) 경영학 4) 영문학 5) 생물학 6) 의학

2. 2) 승호 씨는 변호사입니다 . ( 법학 ) 이 전공입니다 . 3) 우리 형 전공은 ( 경영학 ) 입니다 . 지금 회사 사장님입니다 . 4) 피터 씨는 ( 영문학 ) 을 전공합니다 . 셰익스피어를 공부합니다 . 5) 우리 아버지는 의사이십니다 . 대학교 때 전공이 ( 의학 ) 입니다 .

3. 1) 은행 ●          ● 생선을 사다
   2) 서점 ●          ● 돈을 찾다
   3) 시장 ●          ● 책을 빌리다
   4) 극장 ●          ● 영화를 보다
   5) 학교 ●          ● 잡지를 사다
   6) 도서관 ●        ● 한국말을 배우다

   2) 서점에서 잡지를 삽니다 . 3) 시장에서 생선을 삽니다 . 4) 극장에서 영화를 봅니다 . 5) 학교에서 한국말을 배웁니다 . 6) 도서관에서 책을 빌립니다 .

4. 2) 커피숍에서 친구를 만납니다 . 3) 현대백화점에서 시계를 삽니다 . 4) 어디에서 숙제를 합니까 ? 5) 어디에서 일합니까 ? 6) 가 : 어디에서 운동을 합니까 ? 나 : 공원에서 운동을 합니다 .

5.

> 저는 브라질 ( 에 , ⦸에서⦸ ) 왔습니다 . 저는 커피를 아주 좋아합니다 . 그래서 날마다 커피숍 ( 에 , ⦸에서⦸ ) 커피를 마십니다 . 집 ( 에도 , ⦸에서도⦸ ) 마십니다 . 브라질 ( ⦸에⦸ , 에서 ) 여러 가지 커피가 있습니다 . 한국 ( ⦸에도⦸ , 에서도 ) 여러 가지 커피가 있습니다 .

### 3 과 5 항

1. 2) 누나 3) 공원 4) 여름 5) 교실 6) 도서관

2.

> 우리 ( 형제 ) 은 / ⦸는⦸ 누나 , 남동생 , 그리고 저 모두 세 ( 명 ) 입니다 . 우리 누나는 ( 예쁘 ) 고 공부도 잘 합니다 . 누나의 ( 전공 ) ⦸은⦸ / 는 경영학입니다 . 남동생은 운동을 좋아합니다 . 그래서 ( 날마다 ) 운동을 합니다 . 저는 영화를 좋아합니다 . 그래서 집에 영화 잡지가 ( 많 ) 습니다 . 한국 영화 잡지도 다섯 ( 권 ) 있습니다 . 영화 잡지는 참 ( 재미있 ) 습니다 .

3. 2) 어디 3) 몇 4) 무엇 5) 누구 6) 어느 7) 누구

4. 2) 네 3) 이 4) 를 5) 이 6) 앉으십니다 7) 누가

5. 2) 네 명입니다 . 3) 미국에 계십니다 . 4) 한국 영화를 자주 봅니까 ? 5) 신촌이 어떻습니까 ? 6) 어디에서 숙제를 합니까 ?

6. 1) X  2) O  3) O  4) O

7. 1) 아버지 ( 2 ) 어머니 ( 4 ) 오빠 ( 1 )  언니 ( 6 ) 남동생 ( 5 ) 나 ( 3 )
   2) ① O  ② O  ③ X  ④ X  ⑤ O

8. 1) ① O  ② X  ③ O  ④ X  ⑤ X  ⑥ O
   2) [ 보기 ] 저는 지금 서울에 있습니다 .

> 서울에는 명동이 있습니다 . 남대문시장도 있습니다 . 우리 집 근처에는 공원이 있습니다 . 저는 공원에서 날마다 산책을 합니다 . 서울은 크고 재미있습니다 . 서울 사람들은 친절합니다 . 저는 서울을 좋아합니다 .

9. 생략

10. 생략

## 제 4 과 음식

### 4 과 1 항

1. 2) 한식집 3) 일식집 4) 중국집

2. 2) 들어갑니다 . 3) 올라갑니다 . 4) 내려옵니다 . 5) 나옵니다 . 6) 옵니다 .

3. 2) 백화점에 갑니다 . 3) 식당에 갑니다 . 4) 공원에 갑니다 . 5) 병원에 갑니까 ? 6) 어디에 갑니까 ?

4. 2) 도서관에 갑니다 . 도서관에서 책을 읽습니다 .
3) 백화점에 갑니다 . 백화점에서 쇼핑을 합니다 .
4) 극장에 갑니다 . 극장에서 영화를 봅니다 .
5) 한식집에 갑니다 . 한식집에서 불고기를 먹습니다 .
6) 집에 갑니다 . 집에서 ( 잠을 ) 잡니다 .

5. 2) 한국말을 공부할까요 ? 3) 집에서 쉴까요 ? 4) 책을 읽을까요 ? 5) 한식집에 갈까요 ? 6) 옷을 입을까요 ?

6. 2) 식당에 갈까요 ? 3) 공원에 갈까요 ? 4) 창문을 닫을까요 ? 5)( 이 옷을 ) 살까요 ?

7. 2) 친구를 만납시다 . 3) 가방을 삽시다 . 4) 비빔밥을 먹읍시다 . 5) 노래합시다 . 6) 의자에 앉읍시다 .

8. 2) 미선 씨하고 같이 갑시다 . 3) 서울역에서 만납시다 . 4) 가 : 뭘 먹을까요 ? 나 : 비빔밥을 먹읍시다 . 5) 가 : 뭘 할까요 ? 나 : 한옥을 구경합시다 .

4 과 2 항

1. 2) 달다 3) 시다 4) 짜다 5) 맵다 6) 쓰다

2. 2) 답니다 . 3) 십니다 . 4) 스테이크를 5) 씁니다 . 6) 자장면을

3. 2) 운동을 좋아하지 않습니다 . 3) 고기를 먹지 않습니다 . 4) 중국어를 공부하지 않습니다 . 5) 도서관에 가지 않습니다 .

4. 2) 아니요 , 숙제가 많지 않습니다 . 조금 있습니다 . 3) 아니요 , 날마다 도서관에 가지 않습니다 . 가끔 갑니다 . 4) 아니요 , 도서관이 시끄럽지 않습니다 . 아주 조용합니다 . 5) 아니요 , 한식을 좋아하지 않습니다 . 6) 아니요 , 맵지 않습니다 .

5.

| 커피 | 녹차 | 홍차 |

2) 가 : 무슨 차를 마십니까 ?
　　나 : 녹차를 마십니다 .

| 골프 | 스키 | 축구 |

3) 가 : 무슨 운동을 좋아합니까 ?
　　나 : 골프를 좋아합니다 .

| 읽기 책 | 잡지 | 소설책 |

4) 가 : 무슨 책을 읽습니까 ?
　　나 : 소설책을 읽습니다 .

| 클래식 | 재즈 | 록 |

5) 가 : 무슨 음악을 좋아합니까 ?
　　나 : 재즈를 좋아합니다 .

6) 생략

6.

| | -습니다 / ㅂ니다 | -을까요 ?/ ㄹ까요 ? | -읍시다 / ㅂ시다 |
|---|---|---|---|
| 달다 | 답니다 | | |
| 멀다 | 멉니다 | | |
| 살다 | 삽니다 | 살까요 ? | 삽시다 |
| 열다 | 엽니다 | 열까요 ? | 엽시다 |
| 놀다 | 놉니다 | 놀까요 ? | 놉시다 |
| 팔다 | 팝니다 | 팔까요 ? | 팝시다 |
| 만들다 | 만듭니다 | 만들까요 ? | 만듭시다 |

7. 2) 가 : 압니까 ? 나 : 압니다 . 3) 가 : 답니까 ? 나 : 달지 않습니다 . 4) 가 : 놀까요 ? 나 : 놉시다 . 5) 가 : 만들까요 ? 나 : 만듭시다 . 6) 가 : 멉니까 ? 나 : 멉니다 .

8. 2) 압니다 . 3) 놉니다 . 4) 만듭니다 . 5) 달지 않습니다 . 6) 팝니다 .

4 과 3 항

1. 생략

2. 1) 토스트하고 우유를 먹습니다 . 2) 중국집에 갑니다 . 3) 김밥하고 라면을 먹습니다 . 4) 리에 씨가 한식을 좋아합니다 . 5) 마리아 씨가 저녁에 양식집에 갑니다 .

# 정답

**3.** 1) 목이 마르다 •  • 쉬다
2) 배가 고프다 •  • 물을 마시다
3) 한국말을 모르다 •  • 밥을 먹다
4) 피곤하다 •  • 창문을 열다
5) 덥다 •  • 한국말을 배우다

1) 목이 마릅니다. 물을 마시고 싶습니다. 2) 배가 고픕니다. 밥을 먹고 싶습니다. 3) 한국말을 모릅니다. 한국말을 배우고 싶습니다. 4) 피곤합니다. 쉬고 싶습니다. 5) 덥습니다. 창문을 열고 싶습니다.

**4.** 2) 저는 교회에서 결혼하고 싶습니다. 여자 친구는 호텔에서 결혼하고 싶어합니다. 3) 저는 하와이에 가고 싶습니다. 여자 친구는 파리에 가고 싶어합니다. 4) 저는 시계를 주고 싶습니다. 여자 친구는 반지를 주고 싶어합니다. 5) 저는 서울에서 살고 싶습니다. 여자 친구는 베이징에서 살고 싶어합니다.

**5.** 2) 내일 다시 전화하겠습니다. 3) 열심히 공부하겠습니다. 4) 제가 읽겠습니다. 5) 술을 마시지 않겠습니다.

**6.** 2) 불고기를 먹겠습니다. 3) 쇼핑을 하겠습니다. 4) 한국차도 마시겠습니다. 5) 부모님과 많이 이야기하겠습니다.

## 4 과 4 항

**1.** 2) 삼 3) 칠 4) 오 5) 이 6) 팔 7) 육 8) 일 9) 십 10) 사

**2.** 2) 한 잔 3) 세 그릇 4) 일곱 병 5) 이 인분 6) 여섯 명

**3.**

|  | Vst 으십니다 | Vst 으십니까? | Vst 읍시다 | Vst 으십시오 |
|---|---|---|---|---|
| 앉다 | 앉으십니다 | 앉으십니까? | 앉읍시다 | 앉으십시오 |
| 멀다 | 읽으십니다 | 읽으십니까? | 읽읍시다 | 읽으십시오 |
| 찾다 | 찾으십니다 | 찾으십니까? | 찾읍시다 | 찾으십시오 |
|  | Vst 십니다 | Vst 십니까? | Vst ㅂ시다 | Vst 십시오 |
| 가다 | 가십니다 | 가십니까? | 갑시다 | 가십시오 |
| 오다 | 오십니다 | 오십니까? | 옵시다 | 오십시오 |
| 쉬다 | 쉬십니다 | 쉬십니까? | 쉽시다 | 쉬십시오 |
| 보다 | 보십니다 | 보십니까? | 봅시다 | 보십시오 |

| 사다 | 사십니다 | 사십니까? | 삽시다 | 사십시오 |
|---|---|---|---|---|
| 기다리다 | 기다리십니다 | 기다리십니까? | 기다립시다 | 기다리십시오 |
| 가르치다 | 가르치십니다 | 가르치십니까? | 가르칩시다 | 가르치십시오 |
| 배우다 | 배우십니다 | 배우십니까? | 배웁시다 | 배우십시오 |
| 공부하다 | 공부하십니다 | 공부하십니까? | 공부합시다 | 공부하십시오 |
| 일하다 | 일하십니다 | 일하십니까? | 일합시다 | 일하십시오 |
|  | Vst 십니다 | Vst 십니까? | Vst 읍시다 / ㅂ시다 | Vst 십시오 |
| 먹다 | 잡수십니다 | 잡수십니까? | 먹읍시다 | 잡수십시오 |
| 있다 | 계십니다 | 계십니까? | 있읍시다 | 계십시오 |
| 자다 | 주무십니다 | 주무십니까? | 잡시다 | 주무십시오 |
| 말하다 | 말씀하십니다 | 말씀하십니까? | 말합시다 | 말씀하십시오 |

**4.** 1) 요코 •  • 조용히 하다.
2) 존슨 •  • 책을 보다.
3) 제임스 •  • 창문을 닫다.
4) 신디 •  • 앉다.
5) 웨이 •  • 들어 오다.
6) 마리아 •  • 일어나다.

2) 존슨 씨, 일어나십시오.
3) 제임스 씨, 조용히 하십시오. 4) 신디 씨, 책을 보십시오. 5) 웨이 씨, 창문을 닫으십시오. 6) 마리아 씨, 앉으십시오.

**5.** 2) 순두부찌개를 드십시오. 3) 소설책을 읽으십시오. 4) 창문을 열까요? 5) 무슨 차를 드릴까요? 6) 생략

**6.** 2) 언제 갈까요? 3) 무슨 식당에 갈까요? 4) 뭘 먹을까요? 5) 어디를 구경할까요? 6) 어디에서 살까요?

## 4 과 5 항

**1.**

비빔밥 **한**  자장면 **중**  우동 **중**  스테이크 **양**
삼계탕 **한**  초밥 **일**  라자냐 **양**  짬뽕 **중**
된장찌개 **한**  피자 **양**  볶음밥 **중**  탕수육 **중**
냉면 **한**  스파게티 **양**  갈비탕 **한**

**2.**

맵다 — 사탕 — 약 — 시다
고추 — 짜다 — 쓰다
소금 — 달다 — 레몬

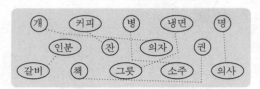

**3.** 2) 세 권 3) 두 잔 4) 네 병 5) 오 층 6) 팔 번
7) 한 그릇 8) 삼 인분 9) 제 오과 이항 10) 아
홉 개

**4.** 2) 아니요 , 왕빈 씨는 동생이 없습니다 . 지선
씨가 동생이 있습니다 . 3) 아니요 , 지선 씨
부모님은 중국에 계시지 않습니다 . 왕빈 씨
부모님이 중국에 계십니다 . 4) 아니요 , 왕빈
씨는 영어를 모릅니다 . 지선 씨가 영어를 압
니다 . 5) 아니요 , 지선 씨는 고기를 먹지 않
습니다 . 왕빈 씨가 고기를 먹습니다 . 6) 아
니요 , 왕빈 씨는 내일 바다에 가지 않겠습니
다 . 지선 씨가 내일 바다에 가겠습니다 .

**5.** 2) 그럽시다 . 3) 멀지 않습니다 . 4) 저는 액
션 영화를 좋아합니다 . 5) 차를 마실까요 ? 6)
무슨 차를 마시고 싶습니까 ?

**6.** 1) ① 2) ② 3) ②

**7.** 1)

| 된장찌개 | 삼계탕 | 불고기 | 김치찌개 | 맥주 | 콜라 |
|---|---|---|---|---|---|
| | | ○ | ○ | | ○ |

2) ④ 3) ③ 4) ① X ② X ③ O

**8.** 1) 식당에 갑니다 . 2) 혼자 갑니다 . 3) 네 , 그
럽시다 . 4) 무슨 음식을 좋아하십니까 ? 5) 불
고기는 맛이 어떻습니까 ? 6) 맵지 않습니까 ? 7)
불고기 이 인분하고 냉면 한 그릇을 시킬까요 ?

**9.** 생략

**10.** 생략

## 제 5 과 하루 생활

### 5 과 1 항

**1.** 2) 십구 3) 삼백육십팔 4) 이백오 5) 사천오
백 6) 천구십칠 7) 육만 8) 삼만 팔천칠백이

십일

**2.** 2)8, 5 3)4, 30 4)10, 40 5)2, 18 6)11, 27

**3.** 2) 한 시 반입니다 . 3) 세 시 오 분입니다 . 4)
열두 시 십 분입니다 . 5) 여섯 시 십오 분입
니다 . 6) 아홉 시 사십팔 분입니다 .

**4.** 2) 오후 한 시까지 학교에서 공부합니다 . 3)
열한 시 십 분까지 교실에 들어오십시오 . 4) 교
과서 십 쪽까지입니다 . 5) 몇 시까지 엽니까 ?

**5.**

| | Vst 어요 / 아요 / 여요 |
|---|---|
| 많다 | 많아요 |
| 앉다 | 앉아요 |
| 가다 | 가요 |
| 자다 | 자요 |
| 만나다 | 만나요 |
| 좋다 | 좋아요 |
| 오다 | 와요 |
| 보다 | 봐요 |
| 먹다 | 먹어요 |
| 없다 | 없어요 |
| 있다 | 있어요 |
| 읽다 | 읽어요 |
| 마시다 | 마셔요 |
| 가르치다 | 가르쳐요 |
| 주다 | 줘요 |
| 배우다 | 배워요 |
| 쓰다 | 써요 |
| 나쁘다 | 나빠요 |
| 예쁘다 | 예뻐요 |
| 쉬다 | 쉬어요 |
| 하다 | 해요 |
| 공부하다 | 공부해요 |

**6.** 2) 친구가 자요 . 3) 언니가 예뻐요 . 4) 사전
이 없어요 . 5) 제 방은 크지 않아요 . 6) 날마
다 커피를 마셔요 ? 7) 무슨 음식을 좋아해요 ?
8) 공책에 이름을 써요 . 9) 냉면을 먹어요 .
10) 내일 만나요 .

**7.** 2) 여기가 연세대학교예요 . 3) 이 음식은 비
빔밥이에요 . 4) 그 분은 선생님이 아니에요 .
5) 집이 어디예요 ? 6) 취미가 뭐예요 ?

**8.** 2) 아니요 , 회사원이 아니에요 . 3) 신촌이에

요 . 4) 가족이 모두 몇 명이에요 ? 5) 한국 생활이 아주 재미있어요 . 6) 네 , 내일 만나요 .

## 5과 2항

1. 1) 일월 -( 이월 )-( 삼월 )- 사월 -( 오월 )-( 유월 ) 2)( 칠월 )- 팔월 - 구월 -( 시월 )- 십일월 -( 십이월 ) 3) 십육일 -( 십칠일 )- 십팔일 -( 십구일 )- 이십일 -( 이십일일 ) 4) 일요일 -( 월요일 )- 화요일 -( 수요일 )- 목요일 -( 금요일 )-( 토요일 ) 5)( 어제 )- 오늘 -( 내일 )

2. 2) 천구백팔십오년 십일월 이십오일 3) 이천칠년 이월 십사일 4) 유월 육일 5) 시월 십일 6) 팔월 삼십일일

3. 2) 금요일입니다 .3) 시월 십오일입니다 . 4) 일요일입니다 . 5)( 시월 ) 이십일일까지입니다 . 6) 어머니 생신은 몇 월 며칠입니까 ? ( 언제입니까 ?)

4. 2) 가 : 한국말이 어렵지요 ? 나 : 네 , 한국말이 어렵습니다 ( 어려워요 ). 3) 가 : 다이아몬드가 비싸지요 ? 나 : 네 , 다이아몬드가 비쌉니다 ( 비싸요 ). 4) 가 : 제임스 씨가 미국 사람이지요 ? 나 : 네 , 미국 사람입니다 ( 미국 사람이에요 ). 5) 가 : 김치가 맵지요 ? 나 : 네 , 맵습니다 ( 매워요 ). 6) 가 : 날마다 학교에 가지요 ? 나 : 네 , 날마다 학교에 갑니다 ( 가요 ).

5. 2) 리사 씨 생일이지요 ? 3) 제 생일이에요 . 4) 좋아하지요 ? 5) 냉면을 좋아해요 . 6) 같이 가요 . 7) 아주 많지요 ? 8) 사람이 아주 많아요 . 9)( 시원하고 ) 맛있지요 ? 10) ( 시원하고 ) 맛있어요 .

6. 2) 그분이 선생님이세요 ? 3) 선생님이 바쁘세요 . 4) 할머니께서 주무세요 . 5) 무슨 책을 읽으세요 ? 6) 안녕하세요 ? 7) 안녕히 계세요 . 8) 여기 앉으세요 .

7. 2) 할머니께서 지금 주무세요 . 3) 저는 지금 공부해요 . 4) 저분이 누구세요 ? 5) 어디에 사세요 ? 6) 무슨 음식을 좋아하세요 ?

## 5과 3항

1. 1) 이를 — 자다
   2) 잠을 — 타다
   3) 세수를 — 닦다
   4) 버스를 — 하다
   5) 버스에서 — 내리다

2. 2) 세수를 합니다 . 3) 이를 닦습니다 . 4) 탑니다 . 5) 내립니다 . 6) 잠을 잡니다 .

3. 2) 가 : 몇 시에 자요 ? 나 :11 시에 자요 . 3) 가 : 몇 월에 여행해요 ? 나 :10 월에 여행해요 . 4) 가 : 몇 월 며칠에 파티를 해요 ? 나 :12 월 24 일에 파티를 해요 . 5) 가 : 무슨 요일에 시험이 있어요 ? 나 : 월요일에 시험이 있어요 . 6) 가 : 언제 가족을 만나요 ? 나 : 크리스마스에 가족을 만나요 .

4. [ 보기 ]

| 시간 | 계획 |
|---|---|
| 오늘 저녁 | 한국말 숙제 |
| 내일 오후 3 시 | 영화 |
| 일요일 오전 | 잠 |
| 밸런타인데이 | 데이트 |
| 2020 년 | 아프리카 여행 |

저는 오늘 저녁에 한국말 숙제를 하겠습니다 . 내일 오후 3 시에 영화를 보겠습니다 . 일요일 오전에 잠을 자겠습니다 . 밸런타인데이에 데이트를 하겠습니다 . 2020 년에 아프리카 여행을 하겠습니다 .

5. 2) 가 : 몇 월부터 몇 월까지 봄입니까 ? 나 :3 월부터 5 월까지 봄입니다 . 3) 가 : 무슨 요일부터 무슨 요일까지 수업이 있습니까 ? 나 : 월요일부터 금요일까지 수업이 있습니다 . 4) 가 : 몇 시부터 몇 시까지 운동을 합니까 ? 나 : 오전 10 시부터 오전 11 시까지 운동을 합니다 . 5) 가 : 몇 쪽부터 몇 쪽까지 숙제입니까 ? 나 :10 쪽부터 20 쪽까지 숙제입니다 .

6. 2) 밥을 먹고 차를 마셔요 . 3) 텔레비전을 보고 숙제를 해요 . 4) 옷을 입고 거울을 봐요 . 5) 영화를 보고 커피숍에 갑시다 . 6) 책을 읽고 자겠어요 .

7. 2) 한국말을 배우고 점심 식사를 합니다 . 3) 점심을 먹고 아르바이트를 합니다 . 4) 아르바이트를 하고 운동을 합니다 . 5) 운동을 하고 저녁을 먹습니다 . 6) 저녁을 먹고 텔레비전을 봅니다 .

8. 3) → 2) → 1) → 5) → 6) → 4)

## 5 과 4 항

1. 1) ( 그저께 ) - 어제 - ( 오늘 ) - 내일 - ( 모레 )
   2) ( 지난 주 ) - 이번 주 - ( 다음 주 )
   3) 지난 달 - ( 이번 달 ) - ( 다음 달 )
   4) ( 작년 ) - 올해 - ( 내년 )

2. 2) 모레 는 리사 씨 생일입니다 .
   3) 그저께 는 밸런타인데이였습니다 .
   4) 지난 주 에 수영을 했습니다 .
   5) 다음 주 에 시험이 있습니다 .

3.

| | Vst 어요 / 아요 / 여요 | Vst 었어요 / 았어요 / 였어요 |
|---|---|---|
| 가다 | 가요 | 갔어요 |
| 타다 | 타요 | 탔어요 |
| 받다 | 받아요 | 받았어요 |
| 앉다 | 앉아요 | 앉았어요 |
| 오다 | 와요 | 왔어요 |
| 보다 | 봐요 | 봤어요 |
| 좋다 | 좋아요 | 좋았어요 |
| 먹다 | 먹어요 | 먹었어요 |
| 마시다 | 마셔요 | 마셨어요 |
| 가르치다 | 가르쳐요 | 가르쳤어요 |
| 읽다 | 읽어요 | 읽었어요 |
| 배우다 | 배워요 | 배웠어요 |
| 주다 | 줘요 | 줬어요 |
| 쓰다 | 써요 | 썼어요 |
| 예쁘다 | 예뻐요 | 예뻤어요 |
| 쉬다 | 쉬어요 | 쉬었어요 |
| 일하다 | 일해요 | 일했어요 |
| 여행하다 | 여행해요 | 여행했어요 |

4.

저는 지금 친구 집에 (살아요, 살았어요). 지난 달까지는 기숙사에 ( 살아요 , 살았어요 ). 제 친구는 아주 (친절해요, 친절했어요 ). 어제

는 친구가 불고기하고 김치찌개를 ( 만들어요 , 만들었어요 ). 불고기가 ( 맛있어요 , 맛있었어요 ). 김치찌개는 ( 매워요 , 매웠어요 ). 우리는 어제 저녁을 먹고 TV 드라마를 ( 봐요 , 봤어요 ). 저는 한국 드라마를 자주 (봐요), 봤어요 ). 어제 드라마도 ( 재미있어요 , 재미있었어요 ). 친구는 한국 노래를 (좋아해요, 좋아했어요 ). 그래서 우리는 TV 를 보고 노래방에 ( 가요 , 갔어요 ).

5. 2) 머리가 길었어요 . 3) 아이스크림을 좋아했어요 . 4) 나무가 많았어요 . 5) 집이 없었어요 . 6) 조용했어요 .

6.

| | Vst 습니다 / ㅂ니다 | Vst 어요 / 아요 / 여요 | Vst 었어요 / 았어요 / 였어요 |
|---|---|---|---|
| 맵다 | 맵습니다 | 매워요 | 매웠어요 |
| 덥다 | 덥습니다 | 더워요 | 더웠어요 |
| 춥다 | 춥습니다 | 추워요 | 추웠어요 |
| 쉽다 | 쉽습니다 | 쉬워요 | 쉬웠어요 |
| 어렵다 | 어렵습니다 | 어려워요 | 어려웠어요 |
| 아름답다 | 아름답습니다 | 아름다워요 | 아름다웠어요 |
| *좁다 | 좁습니다 | 좁아요 | 좁았어요 |
| *입다 | 입습니다 | 입어요 | 입었어요 |
| *잡다 | 잡습니다 | 잡아요 | 잡았어요 |

7. 2) 입었어요 . 3) 좁았어요 . 4) 매웠어요 . 5) 쉬웠어요 . 6) 어려웠어요 .

## 5 과 5 항

1. 2) 여기요 , 불고기 오 인분 주세요 . 3) 이천육년 시월 육일에 한국에 왔어요 . 4) 우리 교실은 사백칠호입니다 . 5) 교과서 칠십삼 쪽을 보세요 . 6) 오늘은 오과 사항을 공부하겠습니다 . 7) 한 시 십오 분에 만나요 . 8) 지금은 열두 시 삼십 분이에요 . 9) 만 팔천오백 원이에요 . 10) 저 건물은 육십삼 층이에요 .

2. 2) 작년 3) 셋 4) 조용하다 5) 살다

3. 2) 아침 8시에 신문을 읽었어요. 3) 작년 여름에 수영을 배웠어요. 4) 수업이 끝나고 점심을 먹어요. 5) 밤에 세수하고 일기를 썼어요. 6) 오전 11시부터 오후 1시까지 열심히 운동했어요.

4. 2) 금요일이에요. 3) 9시까지 학교에 가요. 4) 몇 시부터 몇 시까지 수업이 있어요? 5) 수업이 끝나고 뭘 해요? 6) 친구를 만났어요. 7) 뭘 했어요? 8) 영화를 보고 노래방에 갔어요.

5. 1) ③ 2) ② 3) ②

6. 1) ④ 2) ① X ② X ③ O 3) 여행을 가겠습니다.

7. 1)

제레미 씨는 영국 ( 에 , (에서) ) 왔습니다. 지금 한국 회사 ( (에) , 에서 ) 다닙니다. 오전에는 연세대학교 ( 에 , (에서) ) 한국말을 배웁니다. 오후 ( 에 , (에는) ) 회사 ( 에 , 에서 ) 갑니다. 회사 ( 에 , (에서) ) 열심히 일합니다.

어제는 토요일이었습니다. 토요일 ( (에는) , 에서는 ) 회사 ( (에) , 에서 ) 가지 않습니다. 제레미 씨는 혼자 남산 ( (에) , 에서 ) 갔습니다. 남산타워 ( 에 , (에서) ) 서울을 보고 커피도 마셨습니다. 서울 시내 ( (에는) , 에서는 ) 집도 많고 자동차도 많았습니다.

제레미 씨는 오후 1시 ( (에) , 에서 ) 남산 ( 에 , (에서) ) 내려왔습니다. 2시 ( (에) , 에서 ) 집 ( (에) , 에서 ) 왔습니다. 집 ( 에 , (에서) ) 쉬었습니다.

2) ① O ② O ③ X ④ X ⑤ X
3) 서울을 보고 커피를 마셨습니다.
4) 집도 많고 자동차도 많았습니다.

8. 생략

9. 생략

## 복습 문제 1과 ~5과

I. 1. 는 , 이 , 에서 2. 가 , 에 3. 에서 4. 에 5. 께서 6. 부터 , 까지 7. 가 , 을 8. 에 , 이 9. 에 10.

하고 , 을 , 도

II. 1. ② 2. ④ 3. ③ 4. ② 5. ①

III. 1. ② 2. ④ 3. ③ 4. ① 5. ②

IV. 1. 무엇 2. 누구 3. 어디 4. 어느 5. 무슨 6. 몇 7. 언제

V. 1. 회사원입니다. 2. 누가 3. 좋습니다. 4. 먹고 싶어합니다. 5. 읽고 싶지 않습니다. 6. 있습니다. 7. 백화점에서 8. 가겠습니다. 9. 드십시오. 10. 봤어요.

VI. 1. 이름이 무엇입니까? 2. 한국 사람이 아닙니다. 3. 이것이 무엇입니까? 4. 사전하고 지갑이 있습니다. 5. 영어 사전이 없습니다. 6. 도서관에 갑니다. 7. 내일 만납시다. 8. 날씨가 춥지 않습니다. 9. 소설책을 읽고 싶습니다. 10. 갈비를 먹겠습니다. 11. 조용하고 아름답습니다. 12. 친구 집에 가겠습니다. 13. 불고기를 만들까요? 14. 지금 몇 시예요? 15. 금요일이에요. 16. 오늘이 몇 월 며칠이에요? 17. 친구를 만났어요. 18. 미선 씨하고 점심을 먹었어요. 19. 아주 아름다웠어요. 20. 아침을 먹고 신문을 읽어요.

VII. 1. 삽니다. 2. 일어납니다. 3. 계십니다. 4. 만납시다. 5. 주무십니다. 하십시오. 6. 산책할까요? 7. 공부하겠습니다. 8. 가지 않습니다. 9. 더웠습니다. 10. 마셨습니다.

VIII. 1. 삼 인분 2. 다섯 개 , 네 개 3. 두 잔 4. 한 그릇 5. 일곱 병

IX. 1. 독일 사람이에요 2. 왔어요 3. 재미있어요 4. 친절해요 5. 잘 하고 싶어요 6. 배워요 7. 가르치세요 8. 좋아요 9. 어려워요 10. 많아요

## 십자말 풀이 1

| 1. 근 | 2. 처 |  |  | 4. 아 | 버 | 5. 지 |  |  |
|---|---|---|---|---|---|---|---|---|
|  | 3. 음 | 악 |  |  |  | 6. 도 | 7. 서 | 관 |
|  |  |  | 12. 회 | 13. 사 |  | 울 |  |  |
| 8. 사 |  |  |  | 14. 과 | 15. 자 |  |  |  |
| 9. 전 | 10. 공 |  |  |  | 장 |  | 23. 독 | 24. 일 |
|  | 11. 부 | 터 |  | 19. 학 |  | 면 |  | 요 |
|  |  |  | 20. 생 | 21. 일 |  |  | 25. 내 | 일 |
| 16. 여 | 17. 기 |  |  | 22. 식 | 당 |  |  |  |
|  | 18. 자 | 주 |  |  |  |  |  |  |

## 제 6 과 물건 사기

### 6 과 1 항

**1.**

| 가 | 나 | 질문 : 어디에서 무엇을 삽니까 ? |
|---|---|---|
| 과일 가게 | 티셔츠 | 1) 옷 가게에서 티셔츠를 삽니다 . |
| 빵 가게 | 사과 | 2) 과일 가게에서 사과를 삽니다 . |
| 편의점 | 공책 | 3) 문방구에서 공책을 삽니다 . |
| 옷 가게 | 케이크 | 4) 빵 가게에서 케이크를 삽니다 . |
| 문방구 | 장미꽃 | 5) 꽃 가게에서 장미꽃을 삽니다 . |
| 꽃 가게 | 라면 | 6) 편의점에서 라면을 삽니다 . |

**2.** 2) 마리아 씨를 만나러 가요 . 3) 중국어를 배우러 연세중국어학원에 가요 . 4) 영화를 보러 신촌극장에 가요 . 5) 책을 읽으러 도서관에 가요 . 6) 생선회를 먹으러 일식집에 가요 . 7) 리에 씨와 놀러 롯데월드에 가요 .

**3.**

어제는 여자 친구 생일이었습니다 . 그래서 아주 바빴습니다 . 아침에는 학교에 1) 공부를 하러 갔습니다 . 수업이 끝나고 학생 식당에 2) 점심을 먹으러 갔습니다 . 빨리 점심을 먹고 백화점에 3) 생일 선물을 사러 갔습니다 . 백화점에서 지갑을 하나 샀습니다 . 그리고 꽃 가게에 4) 장미꽃을 사러 갔습니다 . 여자 친구가 22 살입니다 . 그래서 장미꽃 22 송이를 샀습니다 . 여

자 친구 생일 케이크는 사지 않고 제가 만들고 싶었습니다 . 그래서 5) 케이크를 만들러 집에 왔습니다 . 미선 씨도 6) 케이크를 만들러 우리 집에 왔습니다 . 우리는 케이크를 다 만들고 여자 친구 집에 7) 생일 파티를 하러 갔습니다 .

**4.**

어제 미선 씨 ( 과 , **와** ) 저는 쇼핑을 하러 백화점에 갔습니다 . 백화점 1 층 (**과**), 와 ) 2 층에는 옷 가게가 있었고 3 층에는 식당이 있었습니다 . 우리는 미선씨 바지 ( 과 , **와** ) 티셔츠를 사러 2 층에 갔습니다 . 옷이 아주 비쌌습니다 . 우리는 밥을 먹으러 3 층에 갔습니다 . 3 층에는 한식집 (**과**), 와 ) 일식집이 있었습니다 . 우리는 갈비 ( 과 , **와** ) 냉면을 먹고 싶었습니다 . 그래서 한식집에 갔습니다 . 그런데 음식 값도 너무 비쌌습니다 . 내일은 동생 (**과**), 와 ) 같이 동대문시장에 가겠습니다 .

**5.** 2) 스파게티와 냉면과 김치찌개를 자주 먹습니다 . 3) 수영과 스키와 여행입니다 . 4) 중국과 호주와 캐나다를 여행했습니다 . 5) 컴퓨터공학과 생물학을 공부하고 싶어합니다 .

### 6 과 2 항

**1.** 생략

**2.** 생략

**3.**

| 남편 | 아내 |
|---|---|
| 1) 집이 좁아요 . | 집이 좁지만 깨끗해요 . |
| 2) 책상이 무거워요 . | 책상이 무겁지만 튼튼해요 . |
| 3) 옷이 두꺼워요 . | 옷이 두껍지만 따뜻해요 . |
| 4) 음식이 비싸요 . | 음식이 비싸지만 맛있어요 . |
| 5) 영화가 길어요 . | 영화가 길지만 재미있어요 . |

**4.** 2) 어려워요 . 3) 비싸요 . 4) 쇼핑을 좋아하지 않아요 .( 싫어해요 .) 5) 일본 사람들은 매운 음식을 잘 안 먹어요 . 6) 생략

**5.** 2) 큰 집에서 살고 싶어요 . 3) 많은 사람이 은

행에 있어요 . 4) 좋은 책을 읽으세요 . 5) 머리
가 긴 여자를 좋아해요 . 6) 더운 날씨가 싫어
요 . 7) 가고 싶은 나라가 어디예요 ? 9) 교실
에 없는 학생이 누구예요 ? 10) 맛있는 음식을
먹고 싶어요 . 11) 재미없는 영화를 봤어요 .

6. 2) 우리 반에서 머리가 짧은 학생은 누구예
요 ?
3) 우리 반에서 집이 먼 학생은 누구예요 ?
4) 우리 반에서 바쁜 학생은 누구예요 ?
5) 우리 반에서 재미있는 학생은 누구예요 ?
6) 우리 반에서 친구가 많은 학생은 누구
예요 ?

2) 우리 반에서 머리가 짧은 학생은 _____
씨예요 .
3) 우리 반에서 집이 먼 학생은 _____
씨예요 .
4) 우리 반에서 바쁜 학생은 _____
씨예요 .
5) 우리 반에서 재미있는 학생은 _____
씨예요 .
6) 우리 반에서 친구가 많은 학생은 _____
씨예요 .

7. 2) 저는 매운 / 단 음식을 잘 먹습니다 . 3) 저
는 무서운 / 슬픈 영화를 좋아하지 않습니다 .
4) 저는 똑똑한 / 재미있는 친구를 좋아합니
다 . 5) 저는 더운 / 추운 날씨가 싫습니다 . 6)
저는 작고 예쁜 / 크고 멋있는 자동차를 사고
싶습니다 .

8.

|  | - 습니까?/ ㅂ니까? | - 아요 / 어요 / 여요 | - 은 / ㄴ |
|---|---|---|---|
| 빨갛다 | 빨갛습니까 ? | 빨개요 | 빨간 |
| 파랗다 | 파랗습니까 ? | 파래요 | 파란 |
| 노랗다 | 노랗습니까 ? | 노래요 | 노란 |
| 하얗다 | 하얗습니까 ? | 하얘요 | 하얀 |
| 까맣다 | 까맣습니까 ? | 까매요 | 까만 |
| 어떻다 | 어떻습니까 ? | 어때요 | 어떤 |
| 이렇다 | 이렇습니까 ? | 이래요 | 이런 |
| 저렇다 | 저렇습니까 ? | 저래요 | 저런 |
| 그렇다 | 그렇습니까 ? | 그래요 | 그런 |

9. 2) 노란 3) 빨간 4) 하얀 5) 그런 6) 노란 7)
어때요 ? 8) 그래요 ?

## 6 과 3 항

1.

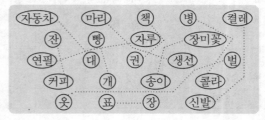

1) 자동차 한 대 2) 생선 한 마리 3) 책 한 권 4)
콜라 한 병 5) 신발 한 켤레 6) 커피 한 잔 7)
빵 한 개 8) 연필 한 자루 9) 장미꽃 한 송이
10) 옷 한 벌 11) 표 한 장

2. 2) 커피가 몇 잔 있어요 ? 세 잔 있어요 . 3) 생
선이 몇 마리 있어요 ? 두 마리 있어요 . 4) 꽃
이 몇 송이 있어요 ? 여섯 송이 있어요 . 5) 콜
라가 몇 병 있어요 ? 다섯 병 있어요 . 6) 슬리
퍼가 몇 켤레 있어요 ? 한 켤레 있어요 .

3. 2) 불을 켜 드릴까요 ? 불을 켜 주세요 . 3) 칠
판에 써 드릴까요 ? 칠판에 써 주세요 . 4) 천
천히 말해 드릴까요 ? 천천히 말해 주세요 . 5)
문을 닫아 드릴까요 ? 문을 닫아 주세요 . 6)
케이크를 만들어 드릴까요 ? 케이크를 만들어
주세요 .

4. 2) 창문을 열어 드릴까요 ? / 네 , 열어 주세요 .
3) 일을 도와 드릴까요 ? / 네 , 도와 주세요 . 4)
돈을 빌려 드릴까요 ? / 네 , 빌려 주세요 . 5)
사진을 찍어 드릴까요 ? / 네 , 찍어 주세요 . 6)
전화번호를 가르쳐 드릴까요 ? / 네 , 가르쳐
주세요 .

## 6과 4항

**1.**

| 손 | 수 | 건 | 인 | 화 | 장 | 품 |
|---|---|---|---|---|---|---|
| 울 | 령 | 타 | 액 | 색 | 김 | 실 |
| 신 | 상 | 성 | 세 | 만 | 년 | 필 |
| 불 | 품 | 걸 | 서 | 억 | 심 | 객 |
| 탈 | 권 | 펀 | 리 | 빈 | 향 | 수 |
| 인 | 형 | 설 | 꽃 | 다 | 발 | 소 |

2) 상품권 3) 만년필 4) 화장품 5) 인형 6) 향수

**2.** 생략

**3.**

어제는 크리스마스였습니다 . 저는 가족들 ( 에게 ) 선물을 했습니다 . 아버지 ( 께 ) 모자를 드렸습니다 . 어머니 ( 께 ) 화장품을 드렸습니다 . 동생 ( 에게 ) 인형을 줬습니다 . 그리고 부산에 사시는 할머니 ( 께 ) 전화를 드렸습니다 . 할머니께서 아주 좋아하셨습니다 . 저녁에는 여자 친구를 만났습니다 . 여자 친구가 저 ( 에게 ) 크리스마스 카드와 선물을 줬습니다 . 저도 여자 친구 ( 에게 ) 예쁜 꽃과 선물을 줬습니다 . 어제는 아주 행복한 크리스마스였습니다 .

**4.**

|  | -은/ㄴ | -는 | -을/ㄹ |
|---|---|---|---|
| 사다 | 산 | 사는 | 살 |
| 하다 | 한 | 하는 | 할 |
| 먹다 | 먹은 | 먹는 | 먹을 |
| 읽다 | 읽은 | 읽는 | 읽을 |
| 살다 | 산 | 사는 | 살 |
| 만들다 | 만든 | 만드는 | 만들 |

**5.** 2) 이것은 어제 배운 단어예요 . 3) 전화를 한 사람이 누구예요 ? 4) 노란 옷을 입은 여자가 제 친구예요 . 5) 제가 만든 케이크를 먹었어요 ? 6) 숙제를 하지 않은 학생이 많아요 .

**6.** 2) 노래방에 간 사람은 미라 씨예요 . 3) 갈비를 먹은 사람은 후엔 씨예요 . 4) 수영을 한 사람은 피터 씨예요 . 5) 소설책을 읽은 사람은 유미 씨예요 .

**7.** 2) 저기에서 공부하는 사람이 미선 씨예요 . 3) 지금 읽는 책이 소설책이에요 . 4) 신촌에 사는 학생이 있어요 ? 5) 친구를 도와 주는 것을 좋아해요 . 6) 담배를 피우지 않는 사람이 누구예요 ?

**8.** 2) 제가 자주 가는 식당은 ____ 입니다 . 3) 제가 잘 만드는 음식은 ____ 입니다 . 4) 제가 지금 읽는 책은 ____ 입니다 . 5) 제가 아는 한국 노래는 ____ 입니다 .

**9.** 2) 동생에게 줄 선물을 샀어요 . 3) 저녁에 먹을 음식이 없어요 . 4) 서울에 살 집이 있어요 ? 5) 제가 도울 일이 있어요 ? 6) 내일 오지 않을 사람이 누구예요 ?

**10.** 2) 어머니께 드릴 선물은 ____ 입니다 . 3) 주말에 볼 영화는 ____ 입니다 . 4) 저녁에 만들 음식은 ____ 입니다 . 5)10 년 후에 살 곳은 ____ 입니다 .

**11.** 2) 외국에 있는 동생을 보고 싶습니다 . 3) 공부할 시간이 없습니다 . 4) 어제 만난 사람이 누구예요 ? 5) 좋은 책을 읽으세요 . 6) 영어를 배울 학생이 몇 명입니까 ? 7) 아침에 먹은 빵이 참 맛이 있었습니다 . 8) 이것은 어려운 문법입니다 . 9) 김치를 좋아하는 외국인이 많습니까 ?

## 6과 5항

**1.** 2) 어떻다 3) 드리다 4) 꽃다발 5) 신발

**2.** 2) 그리고 3) 그래서 4) 그럼 5) 그렇지만

**3.**

오늘 저 ( 은 , 는 ) 여자 친구 ( 과 , 와 ) 데이트 ( 을 , 를 ) 하러 극장 ( 에 , 에서 ) 갔습니다 . 그런데 돈 ( 이 , 가 ) 천 원 있었습니다 . 저 ( 은 , 는 ) 빨리 극장 옆 꽃 가게 ( 에 , 에서 ) 가서 장미꽃 ( 을 , 를 ) 한 송이 샀습니다 . 그리고 여자 친구 ( 에게 , 께 ) 선물했습니다 . 여자 친구

( 은 , 는 ) 선물 ( 을 , 를 ) 받고 아주 좋아했습니다 . 그리고 저 ( 에게 , 께 ) 영화표를 ( 과 , 와 ) 저녁 ( 을 , 를 ) 사 주었습니다 . 오늘 저 ( 은 , 는 ) 돈이 없었지만 여자 친구 ( 과 , 와 ) 재미있는 데이트 ( 을 , 를 ) 했습니다 .

**4.** 2) 권 3) 자루 4) 분 , 명 5) 벌 , 켤레 6) 대

**5.** 2) 맵지만 맛있습니다 . 3) 공부하러 도서관에 가요 . 4) 창문을 열어 주세요 . 5) 예쁜 여자를 좋아해요 .

**6.** 2) 온 3) 추는 4) 잘 하는 5) 많은 6) 결혼한 7) 예쁜 8) 잘 생긴 9) 갈 10) 공부하는 11) 만든 12) 재미있는 13) 계시는 14) 볼

**7.** 1) ① 2) ① 3) ③

**8.** 1) ①톰 ②왕빈 ③피터 ④미나 ⑤요코 ⑥제인
2) ① X ② O ③ X

**9.** 1)

| 빵 가게 | 신발 가게 | 편의점 | 옷 가게 | 문방구 | 병원 |
|---|---|---|---|---|---|
| O | O | X | O | X | O |
| 1 층 | 2 층 | | 2 층 | | 3 층 |

2) ④ 3) ① X ② X ③ O

**10.** 생략

**11.** 생략

## 제 7 과 교통

### 7 과 1 항

**1.** 2) 왼쪽 3) 건너편 4) 횡단보도 5) 지하도 6) 똑바로

**2.** 2) 로 3) 으로 4) 로 5) 로 6) 으로

**3.** 2) 1 번 출구로 나가세요 . 3) 똑바로 가세요 . 4) 오른쪽으로 돌아가세요 . 5) 1 층으로 내려가세요 .

**4.** 1) 아래로 세 칸 내려가십시오 . **공** 오른쪽으로 네 칸 가십시오 . **항** - 공항 2) 왼쪽으로 두 칸 가십시오 . **신** 위로 세 칸 올라가십시오 . **호** 오른쪽으로 한 칸 가십시오 . **등** - 신호등 3) 위로 두 칸 올라가십시오 . **고** 오른쪽으로 한 칸 가십시오 . **속** 아래로 다섯 칸 내려가십시오 . **버** 왼쪽으로 세 칸 가십시오 . **스** - 고속버스

**5.**
1) 학교에 옵니다 · · 집에서 봅니다
2) 똑바로 갑니다 · · 친구들과 먹었습니다
3) 비디오를 빌립니다 · · 한국말을 배웁니다
4) 불고기를 만들었습니다 · · 왼쪽으로 돌아가십시오
5) 편지를 썼습니다 · · 운동을 하겠습니다
6) 일찍 일어나겠습니다 · · 고향 친구에게 보냈습니다

2) 똑바로 가서 왼쪽으로 돌아가십시오 . 3) 비디오를 빌려서 집에서 봅니다 . 4) 불고기를 만들어서 친구들과 먹었습니다 . 5) 편지를 써서 고향 친구에게 보냈습니다 . 6) 일찍 일어나서 운동을 하겠습니다 .

**6.** 2) 그리고 횡단보도를 건너서 오른쪽으로 가세요 . 3) 아니요 , 우리 집에 와서 드세요 . 4) 야채 샐러드를 만들어서 먹읍시다 . 5) 그럼 제가 시장에 가서 야채를 사겠어요 . 6) 비디오를 빌려서 같이 봅시다 .

**7.**

**6 월 23 일 수요일 비**

나는 오늘 남자 친구를 ( 만나서 , 만나고 ) 영화를 봤습니다 . 어제 산 예쁜 원피스를 ( 입어서 , 입고 ) 나갔습니다 . 어머니가 사 주신 빨간색 가방도 ( 들어서 , 들고 ) 갔습니다 . 우리는 명동까지 지하철을 ( 타서 , 타고 ) 갔습니다 . 지하철에는 사람이 많았습니다 . 나는 ( 앉아서 , 앉고 ) 갔지만 남자 친구는 ( 서서 , 서고 ) 갔습니다 . 지하철에서 ( 내려서 , 내리고 ) 극장까지 많이 걸었습니다 . 영화는 아주 슬펐습니다 . 나는 영화를 ( 봐서 , 보고 ) 울었습니다 . 나중에 비디오를 ( 빌려서 , 빌리고 ) 다시 보고 싶었습니다 . 영화가 ( 끝나서 , 끝나고 ) 이탈리아 식당으로 갔습니다 . 스파게티를 ( 먹

어서 , (먹고) 커피도 마셨습니다 . 그리고 우리
는 밖으로 (나가서, 나가고 ) 꽃집에 갔습니다 .
남자 친구가 장미꽃을 (사서 , 사고 ) 저에게
주었습니다 . 저는 아주 기뻤습니다 .

## 7 과 2 항

1. 1)KTX
   2)2 호선
   3) 타이타닉호
   4)KAL 573 편
   5)9701 번
   • 배
   • 기차
   • 지하철
   • 버스
   • 비행기

2. 2) 기차로 가요 . 3) 한국말로 이야기해요 . 4)
   젓가락으로 먹어요 . 5) 나무로 만들어요 . 6)
   볼펜으로 써요 .

3.

저는 날마다 지하철로 회사에 갑니다 . 회사에
서는 사람들과 한국말로 이야기합니다 . 12 시
에 점심을 먹으러 식당으로 갑니다 . 저는 식당
에서 닭고기로 만든 삼계탕을 자주 먹습니다 .
삼계탕은 수저로 먹습니다 . 점심을 먹고 열심
히 일합니다 . 저녁에는 집에 돌아와서 가족과
친구들에게 이메일로 연락합니다 .

4. 2) 가 : 신촌에서 명동까지 몇 분쯤 걸려요 ?
   나 : 버스로 20 분쯤 걸려요 . 3) 가 : 명동에서
   잠실까지 얼마나 걸려요 ? 나 : 지하철로 30
   분쯤 걸려요 . 4) 가 : 서울에서 강릉까지 얼마
   나 걸려요 ? 5) 가 : 서울에서 부산까지 얼마
   나 걸려요 ? 나 : 기차로 2 시간 40 분 걸려요 .
   6) 가 : 인천에서 상하이까지 몇 시간 걸려요 ?
   나 : 비행기로 1 시간 걸려요 .

5. 2) 오늘은 일요일이어서 늦게 일어났습니다 .
   3) 피곤해서 쉬고 싶습니다 . 4) 옷을 많이 입
   어서 춥지 않습니다 . 5) 어제는 머리가 아파서
   학교에 안 갔습니다 . 6) 늦어서 죄송합니다 .

6. 2) 매워서 안 먹어요 . 3) 값이 싸서 자주 가
   요 . 4) 아이가 많아서 큰 자동차를 샀어요 . 5)
   술을 많이 마셔서 머리가 아파요 . 6) 늦게 일

어나서 회사에 늦게 왔어요 .

7. 2) 술을 많이 마셔서 머리가 아팠어요 . 3) 기
   분이 나빠서 술을 마셨어요 . 4) 친구하고 싸
   워서 기분이 나빴어요 . 5) 옆 방이 시끄러워
   서 친구하고 싸웠어요 . 6) 파티를 해서 옆 방
   이 시끄러웠어요 .

## 7 과 3 항

1. 1) 배
   2) 비행기
   3) 지하철
   4) 시내버스
   5) 고속버스
   • 역
   • 항구
   • 공항
   • 정류장
   • 터미널

2. 2) 3 시 비행기를 ( 타 ) 러 ( 공항 ) 에 가요 . 3)
   을지로 3 가 ( 역 ) 에 지하철 2 호선과 3 호선
   이 있습니다 . 거기에서 지하철을 ( 갈아타 )
   세요 . 4) 다음 ( 정류장 ) 은 연세대학교입니
   다 . 버스에서 ( 내릴 ) 분은 벨을 누르십시오 .

3. 2) 목이 마르니까 콜라를 마실까요 ? 3) 날씨
   가 좋으니까 밖에 나갑시다 . 4) 오늘은 바쁘
   니까 내일 만납시다 . 5) 방이 더러우니까 청
   소하십시오 . 6) 지하철역이 머니까 택시를
   탈까요 ?

4. 2) 날씨가 더우니까 3) 머니까 4) 배가 고프
   니까 5) 공원 앞 갈비집이 맛있으니까 갈비를
   먹어요 . 6) 백화점에서 세일을 하니까 백화
   점에 가요 .

5. 2)X  3)O  4)X  5)O  6)X

6. 2) 스티브 씨 , 담배를 피우지 마십시오 . 우
   리 모두 담배를 피우지 맙시다 . 3) 샤오밍 씨 ,
   수업 시간에 떠들지 마십시오 . 우리 모두 수
   업 시간에 떠들지 맙시다 . 4) 에릭 씨 , 교실
   에서 영어로 말하지 마십시오 . 우리 모두 영
   어로 말하지 맙시다 . 5) 요코 씨 , 수업 시간
   에 전화하지 마십시오 . 우리 모두 수업 시간
   에 전화하지 맙시다 .

7. 2) 텔레비전을 보지 맙시다 . 3) 이야기하지

마십시오 . 4) 밖에 나가지 맙시다 . 5) 음식을 만들지 마십시오 . 6) 집에 가십시오 .

## 7 과 4 항

1. 2) 횡단보도에서 ( 신호등 ) 을 보고 건넙니다 . 3) 오른쪽에 약국이 있습니다 . ( 우회전 ) 하십시오 . 4) 저 앞에 백화점이 있습니다 . 돌지 말고 ( 직진 ) 하십시오 . 5) 왼쪽에 있는 골목으로 ( 좌회전 ) 해서 들어가세요 . 그리고 빵집 앞에 ( 세워 ) 주세요 . 6) 버스가 곧 ( 출발하 ) 니까 빨리 타세요 .

2. 2) 5   3) 4   4) 1   5) 2

3.

|  | Vst습니다 / ㅂ니다 | Vst어요 / 아요 / 여요 | Vst었어요 / 았어요 / 였어요 | Vst으세요 / 세요 | Vst을까요 ? / ㄹ까요 ? |
|---|---|---|---|---|---|
| 걷다 | 걷습니다 | 걸어요 | 걸었어요 | 걸으세요 | 걸을까요 ? |
| 듣다 | 듣습니다 | 들어요 | 들었어요 | 들으세요 | 들을까요 ? |
| 묻다 | 묻습니다 | 물어요 | 물었어요 | 물으세요 | 물을까요 ? |
| 싣다 | 싣습니다 | 실어요 | 실었어요 | 실으세요 | 실을까요 ? |
| 받다 | 받습니다 | 받아요 | 받았어요 | 받으세요 | 받을까요 ? |
| 닫다 | 닫습니다 | 닫아요 | 닫았어요 | 닫으세요 | 닫을까요 ? |
| 믿다 | 믿습니다 | 믿어요 | 믿었어요 | 믿으세요 | 믿을까요 ? |

4. 2) 좋은 음악을 들을까요 ? 3) 친구에게 전화번호를 물었어요 . 4) 차에 짐을 실으세요 . 5) 어제 편지를 받았어요 . 6) 저는 그 사람을 믿어요 .

5.

|  | Vst습니다 / ㅂ니다 | Vst어요 / 아요 / 여요 | Vst었어요 / 았어요 / 였어요 | Vst어서 / 아서 / 여서 | Vst으니까 / 니까 |
|---|---|---|---|---|---|
| 고르다 | 고릅니다 | 골라요 | 골랐어요 | 골라서 | 고르니까 |
| 다르다 | 다릅니다 | 달라요 | 달랐어요 | 달라서 | 다르니까 |
| 모르다 | 모릅니다 | 몰라요 | 몰랐어요 | 몰라서 | 모르니까 |
| 빠르다 | 빠릅니다 | 빨라요 | 빨랐어요 | 빨라서 | 빠르니까 |
| 부르다 | 부릅니다 | 불러요 | 불렀어요 | 불러서 | 부르니까 |
| 자르다 | 자릅니다 | 잘라요 | 잘랐어요 | 잘라서 | 자르니까 |

6. 2) 골랐어요 3) 몰라서 4) 빨라요 5) 부를까요 6) 잘라

## 7 과 5 항

1. 2) 아파트 3) 직진 4) 오래 5) 신호등

2. 2) 여기에는 횡단보도가 없어요 . 지하도로 건너세요 . 3) 실례합니다 . 다음에 내리니까 좀 비켜 주세요 . 4) 이 버스는 신촌까지 안 가요 . 다음 정류장에서 내려서 지하철로 갈아타세요 . 5) 집에서 학교까지 걸어서 10 분쯤 걸려요 . 6) 비행기가 오전 9 시에 출발해서 오후 2 시에 도착했어요 .

3. 2) ④   3) ②   4) ②   5) ④

4. 1) 비가 오지만 공원에 가겠어요 . 비가 와서 교통이 복잡해요 . 비가 오니까 우산을 가지고 가세요 . 2) 지하철이 빠르고 깨끗해요 . 지하철이 빠르지만 복잡해요 . 지하철이 빨라서 자주 타요 . 지하철이 빠르니까 지하철을 탑시다 . 3) 남대문시장이 싸고 좋아요 . 남대문시장이 싸지만 너무 멀어요 . 남대문시장이 싸서 자주 가요 . 남대문시장이 싸니까 가십시오 .

5.

기사 : 손님 , 어디로 갈까요 ?

리에 : 1) 신촌으로 갑시다 .
　　　여기에서 2) 신촌까지 얼마나 걸려요 ?

기사 : 3) 20 분쯤 걸려요 .
　　　손님 , 종로에서 뭘 하셨어요 ?

리에 : 4) 친구를 만나서 영화를 봤어요 .

기사 : 그 영화가 재미있어요 ? 저도 볼까요 ?

리에 : 네 , 5) 재미있으니까 보세요 .

기사 : 에어컨을 켤까요 ?

리에 : 아니요 , 6) 덥지 않으니까 켜지 마세요 .

( 잠시 후 )

기사 : 학교 안으로 들어갈까요 ?

리에 : 네 , 7) 다리가 아프니까 들어가 주세요 .

기사 : 자 , 도착했습니다 . 요금은 5,300 원입니다 .

6. 1) ①   2) ②   3) ④

7. 1) ②   2) ① O   ② X   ③ O

8. 1) 배로 갔습니다 . 2) 다음 날 아침 6 시에 도

착했습니다 . 3) 김치와 햄으로 만들었습니다 . 4) 수영을 하고 생선회도 먹었습니다 . 5) ①○ ②X ③X ④X

**9.** 생략

**10.** 생략

## 제 8 과 전화

### 8 과 1 항

**1.** 2) 국가번호 3) 휴대전화 4) 시외전화 5) 국제전화

**2.** 2) 일일사 3) 일오칠칠의 이이공공 4) 공오일 사사공의 이오일육 5) 공일공 오구공의 삼육구이

**3.** 2) 내일 전화할게요 . 3) 제가 빌려 드릴게요 . 4) 먼저 먹을게요 . 5) 담배를 피우지 않을게요 . 6) 오늘 저녁은 제가 만들게요 . 7) 선생님 설명을 잘 들을게요 .

**4.** 2) 점심시간까지 끝낼게요 . 3) 제가 도와 드릴게요 . 4) 오늘은 술을 안 마시고 갈게요 . 5) 오늘은 제가 살게요 . 6) 전화할게요 .

**5.** 2) 수영이나 태권도 / 수영이나 테니스 / 태권도나 테니스를 배우고 싶어요 . 3) 김밥이나 냉면 / 김밥이나 라면 / 냉면이나 라면을 먹읍시다 . 4) 향수나 꽃다발 / 향수나 액세서리 / 꽃다발이나 액세서리를 선물하세요 . 5) 미국이나 중국 / 미국이나 호주 / 중국이나 호주에 가고 싶습니다 . 6) 오늘이나 내일 / 오늘이나 모레 / 내일이나 모레 만납시다 .

**6.** 2) 편지나 이메일을 보내세요 . 3) 극장이나 놀이공원에 가세요 . 4) 호주나 하와이로 가세요 . 5) 동대문시장이나 남대문시장에서 사세요 .

### 8 과 2 항

**1.** 1) 전화번호를 • • 끄다
2) 신호가 • • 남기다
3) 전화벨이 • • 누르다
4) 핸드폰을 • • 울리다
5) 문자메시지를 • • 가다
6) 음성메시지를 • • 보내다

**2.** 2) 껐어요 . 3) 남겼어요 . 4) 확인했지만 5) 확인하지 않았어요 . 6) 가고 7) 울렸지만

**3.** 2) 제가 마이클인데요 . 3) 내일은 바쁜데요 . 4) 오늘은 날씨가 아주 좋은데요 . 5) 지금 비가 오는데요 . 6) 내일 약속이 있는데요 . 7) 어제 그 영화를 봤는데요 . 8) 김치가 좀 매운데요 . 9) 명동에서 사는데요 . 10) 이 꽃이 예쁘지 않은데요 .

**4.** 2) 좀 바쁜데요 . 3) 할 일이 많은데요 . 4) 좋아하지 않는데요 . 5) 봤는데요 . 6) 남자 친구가 있는데요 .

### 8 과 3 항

**1.** 2) 우리가 내일 1 시에 만나기로 약속을 했지요 ? 3) 약속시간을 바꾸고 싶어요 . 4) 약속장소는 연세약국 앞이지요 ? 5) 이번에는 꼭 약속을 지킬게요 .

**2.** 2) 남자 친구한테서 꽃을 받았어요 . 3) 김 선생님한테서 한국말을 배워요 . 4) 언니한테서 옷을 빌렸어요 . 5) 아버지한테서 전화가 왔어요 . 6) 친구한테서 전자사전을 샀어요 .

**3.** 2) 가 : 아버지한테서 수영을 배웠어요 ? 나 : 아니요 , 어머니한테서 수영을 배웠어요 . 3) 가 : 누구한테서 전화가 왔어요 ? 나 : 간호사한테서 전화가 왔어요 . 4) 가 : 이 책을 어디에서 빌렸어요 ? 나 : 도서관에서 빌렸어요 . 5) 가 : 상품권을 누구한테서 받았어요 ? 나 : 회사에서 받았어요 . 6) 가 : 가수 미아 씨가 결혼 했어요 . 나 : 누구한테서 들었어요 ? 가 : 뉴스에서 들었어요 .

**4.**

1) 시간이 있다 •　　　　•다리가 아파요.
2) 지금 출발하다 •　　　　•먹지 마세요.
3) 값이 비싸지 않다 •　　　　•가르쳐 주세요.
4) 오래 걷다 •　　　　•같이 영화를 봅시다.
5) 음식이 맵다 •　　　　•늦지 않겠어요?
6) 전화번호를 알다 •　　　　•핸드폰을 사고 싶어요.

2) 지금 출발하면 늦지 않겠어요? 3) 값이 비싸지 않으면 핸드폰을 사고 싶어요. 4) 오래 걸으면 다리가 아파요. 5) 음식이 매우면 먹지 마세요. 6) 전화번호를 알면 가르쳐 주세요.

**5.** 2) 잠이 오지 않으면 책을 읽어요. 3) 약속시간에 늦으면 전화를 해요. 4) 주말에 날씨가 좋으면 등산을 합시다. 5) 돈이 많으면 자동차를 사고 싶어요. 6) 결혼하면 하와이로 신혼여행을 가고 싶어요.

## 8과 4항

**1.** 2) 통화 중이신데요. 3) 전화 받으세요. 4) 전화 끊지 말고 기다리세요. 5) 바꿔 주세요.

**2.** 2) 방학을 하면 고향에 갈 거예요. 3) 오늘은 친구 집에서 놀았으니까 내일은 우리 집에서 놀 거예요. 4) 가족들이 모두 여행을 가서 집에는 사람이 없을 거예요. 5) 영미 씨는 영어 선생님이니까 영어를 잘할 거예요. 6) 날씨가 더워서 수영장에 사람들이 많을 거예요.

**3.** 2) 괜찮을 거예요. 3) 많이 올 거예요. 4) 12시에 할 거예요. 5) 제주도로 갈 거예요. 6) 더울 거예요. 7) 5일 후에 올 거예요. 8) 신촌에서 살 거예요.

**4.** 2) 두 번만 드세요. 3) 전화만 해요. 4) 이 인분만 시키세요. 5) 밖에서만 담배를 피워요. 6) 한국어로만 말합니다.

## 8과 5항

**1.** 2) 누르다 3) 가다 4) 만들다 5) 나다

**2.** 2) 이따가 3) 아마 4) 신호 5) 통화 중 6) 잘못

**3.** 2) 커피나 녹차를 마셔요. 3) 내일 날씨가 아마 추울 거예요. 4) 아직 그 음악을 안 들었는데요. 5) 더우면 에어컨을 켜세요. 6) 어제 영수에게서 선물을 받았어요.

**4.** 2) 가: 부산에는 뭘 타고 가요? 나: 버스나 기차를 타고 가요. 3) 가: 8월에 시드니는 날씨가 어때요? 나: 아마 추울 거예요. 4) 가: 누가 교실에서 김밥을 먹었어요? 나: 제가 먹었는데요. 5) 가: 언제 부모님을 보고 싶어요? 나: 한국생활이 힘들면 부모님이 보고 싶어요.

**5.** 2) 집 전화번호 좀 가르쳐 주세요. 3) 네, 괜찮아요. 말씀하세요. 4) 바로 전데요. 누구세요? 5) 민수 씨한테서 전화 받았어요? 6) 죄송하지만 이정희 씨 좀 바꿔 주세요.

**6.** 1) ② 2) ③ 3) ③

**7.** 1) 332-7650

2)

| 언제 | 누구와 | 약속시간 | 몇 시 | 무엇을 할 거예요? |
|------|--------|----------|-------|------------------|
| 오늘 | 민철 | 학교 앞 버스정류장 | 5시 | 동대문시장에 갈 거예요. |
| 내일 | 영수 | 신촌 지하철역 4번 출구 | 6시 | 영화 보러 갈 거예요. |

**8.** 1) ( ② ) → ( ⑧ ) → ( ④ ) → ( ⑤ ) → ( ③ ) → ( ⑦ ) → ( ① ) → ( ⑥ ) 2) 일요일 오후에 존슨 씨 집에서 파티가 있어서 전화를 했습니다. 3) ① O ② X ③ X

**9.** 생략

**10.** 생략

## 쉼터 4

축구공, 가방, 시계, 우산, 연필, 모자, 의자, 자동차, 책, 전화

# 제 9 과 날씨와 계절

## 9과 1항

**1.** 2) 가을 　3) 겨울 　4) 여름

2. 2) 제 사전은 두꺼운데 리에 씨 전자사전은 얇아요. 3) 방은 좁은데 거실은 넓어요. 4) 동생은 운전할 수 있는데 저는 운전할 수 없어요. 5) 저는 하숙집에 사는데 친구는 기숙사에 살아요. 6) 작년에는 한글을 몰랐는데 지금은 알아요.

3. 2) 머리가 짧아요. 3) 서울은 추운데 4) 물냉면은 안 매운데 5) 우리 하숙집은 방이 넓은데 다른 하숙집은 방이 좁아요. 6) 작년에는 비가 많이 왔는데 올해는 비가 많이 오지 않아요.

4. 2) 민호 씨는 바쁜데 진수 씨는 한가해요. 3) 갈비는 비싼데 떡볶이는 싸요. 4) 형은 열심히 공부하는데 동생은 놀아요. 5) 옛날에는 모두 한복을 입었는데 지금은 한복을 많이 입지 않아요.

5. [ 보기 ] 2) 저는 스키를 탈 수 없어요. 3) 저는 중국말을 할 수 있어요. 4) 저는 떡볶이를 만들 수 있어요. 5) 저는 한국 뉴스를 들을 수 없어요. 6) 저는 바다에서 수영할 수 없어요.

6. 2) 같이 점심을 먹을 수 없어요? 3) 일이 끝나지 않아서 같이 점심을 먹을 수 없어요. 4) 주말에 만날 수 없어요. 5) 주말에 만날 수 없어요? 6) 약속이 있어서 만날 수 없어요. 7) 파티에 갈 수 없어요. 8) 파티에 올 수 없어요? 9) 다음 주에 바빠서 파티에 갈 수 없어요.

1. 2) 아니요, 비가 와요. 3) 네, 바람이 많이 불어요. 4) 안개가 끼었어요. 5) 흐려요. 6) 눈이 와요.

2. 2) 일주일 후에 만나요. 3) 식사 후에 후식을 먹어요. 4) 운동을 한 후에 샤워해요. 5) 아침을 먹은 후에 신문을 읽어요. 6) 친구들하고 논 후에 숙제를 했어요.

3. 2) 점심을 먹은 후에 도서관에서 공부했어요.

3) 도서관에서 공부한 후에 영화를 봤어요. 4) 영화를 본 후에 쇼핑했어요. 5) 쇼핑을 한 후에 저녁을 먹었어요. 6) 저녁을 먹은 후에 노래방에 갔어요.

4.

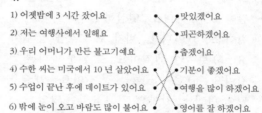

1) 어젯밤에 3 시간 잤어요 — 피곤하겠어요
2) 저는 여행사에서 일해요 — 여행을 많이 하겠어요
3) 우리 어머니가 만든 불고기예요 — 맛있겠어요
4) 수한 씨는 미국에서 10 년 살았어요 — 영어를 잘 하겠어요
5) 수업이 끝난 후에 데이트가 있어요 — 기분이 좋겠어요
6) 밖에 눈이 오고 바람도 많이 불어요 — 춥겠어요

5. 2) 기분이 좋겠어요. 3) 다리가 아프겠어요. 4) 미선 씨는 예쁘고 성격도 좋아요. 5) 친구하고 싸웠어요. 6) 친구들하고 여행을 갈 거예요.

1. 1) 1 월 5 일 — 춥다
   2) 4 월 10 일 — 따뜻하다
   3) 8 월 3 일 — 덥다
   4) 10 월 1 일 — 선선하다
   5) 11 월 30 일 — 쌀쌀하다

2.

| 1) 산 | 북한이 남한보다 산이 많아요. |
|---|---|
| 2) 사람 | 남한이 북한보다 사람이 많아요. |
| 3) 크기 | 북한이 남한보다 커요. |
| 4) 날씨 | 북한이 남한보다 추워요. |
| 5) 음식 | 북한 음식이 남한 음식보다 매워요. |
| 6) 물건 값 | 남한 물건 값이 북한 물건 값보다 비싸요. |

3. [ 보기 ] 2) 저는 축구보다 수영을 잘 해요. 3) 저는 도시보다 시골이 좋아요. 4) 저는 야채보다 고기를 많이 먹어요. 5) 저는 일본 친구보다 한국 친구가 많아요. 6) 저는 혼자 사는 것이 가족과 같이 사는 것보다 편해요.

4. 2) 저 건물은 교회인 것 같아요. 3) 리사 씨 집이 먼 것 같아요. 4) 김치가 매운 것 같아요. 5) 요코 씨가 학교 근처에 사는 것 같아요. 6) 샤오밍 씨가 한국 노래를 좋아하는 것

같아요 . 7) 진수 씨가 책을 많이 읽은 것 같아요 . 8) 제인 씨가 어제 늦게 잔 것같아요 . 9) 오후에 비가 올 것 같아요 . 10) 사치코 씨가 한국 역사를 잘 알 것 같아요 .

5. 2) 네 , 바쁜 것 같아요 . 3) 아니요 , 자는 것 같아요 . 4) 아니요 , 열심히 공부하지 않은 것 같아요 . 5) 아니요 , 비가 오지 않을 것 같아요 . 6) 토끼인 것 같아요 . 7) 기분이 나쁜 것 같아요 . 8) 음악을 듣는 것 같아요 . 9) 술을 많이 마신 것 같아요 . 10) 음식이 맛있을 것 같아요 .

### 9 과 4 항

1. 2) 해수욕장 3) 독서 4) 눈사람 5) 피서 6) 야영 7) 단풍

2. 2) 복잡하군요 . 3) 좋아하시는군요 . 4) 거는군요 . 5) 멀지 않군요 . 6) 잘 생겼군요 .

3. 2) 아주 크군요 . 3) 많군요 . 4) 어렵군요 . 5) 잘 타는군요 . 6) 되었군요 .

4. 2) 자전거를 타고 있어요 . 3) 주스를 마시고 있어요 . 4) 도시락을 먹고 있어요 . 5) 자고 있어요 . 6) 음악을 듣고 계세요 .

5. 2) 가방을 들고 있는 3) 가르치고 계세요 . 4) 모자를 쓰고 있는 5) 쉬고 계세요 . 6) 짧은 치마를 입고 있는 7) 공부하고 있어요 .

### 9 과 5 항

1.

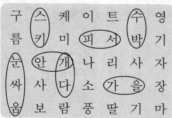

2) 수박 3) 가을 4) 눈싸움 5) 안개 6) 개다 7) 스키 8) 피서

2. 2) 거울 3) 소풍 4) 피다 5) 독서하다

3. 2) 어제는 <u>추운데</u> 오늘은 따뜻해요 .
　　　　추웠는데
3) 이 아이가 <u>걸</u> 수 있어요 ?
　　　　걸을
4) 저는 전화를 <u>걸은</u> 후에 친구 집에 가요 .
　　　　　　 건
5) 유진 씨가 열심히 <u>공부했는</u> 것 같아요 .
　　　　　　　　공부한
6) 리에 씨 , 글씨를 잘 <u>쓰군요</u> .
　　　　　　　쓰는군요

4. 1) 가 : 왜 만날 수 없어요 ? 나 : 약속이 있어서 만날수 없어요 . 2) 나 : 서울은 맑은데요 . 가 : 좋겠어요 . 3) 나 : 책을 읽어요 . 가 : 그럼 책을 읽은 후에는 뭘 해요 ? 나 : 텔레비전을 봐요 . 4) 날마다 늦게 일어나는 것 같아요 .

5. 2) 배우고 있어요 . 3) 비가 올 것 같아요 . 4) 날씨가 흐리군요 . 5) 회사 일이 끝난 후에 6) 피곤하겠어요 .

6. 1) ① 2) ③ 3) ②

7. 1) 리에 2) 준호 3) 요코 4) 에릭 5) 스티브 6) 빌리 7) 보라 8) 샤오밍

8. 1) 겨울입니다 . 2) 배우지 않아서 탈 수 없습니다 . 3) 제주도에는 친구가 있는데 설악산 근처에는 친구가 없습니다 . 4) ① X ② O ③ X ④ O ⑤ X

9. 생략

10. 생략

## 제 10 과 휴일과 방학

### 10 과 1 항

1. 2) 방학 3) 휴가 4) 연휴

2. 2) 계획이 없어요 . 3) 계획을 세울까요 ? 4) 계획이 있어요 ?

3. 2) 동대문시장에서 옷을 사려고 합니다 . 3) 도서관에서 책을 읽으려고 합니다 . 4) 추워

서 창문을 닫으려고 합니다 . 5) 조용한 음악을 들으려고 합니다 . 6) 서울에서 살려고 합니다 .

4. 2) 제주도에 가려고 해요 . 3) 부산에 가려고 해요 . 4) 이번 주말에 가려고 해요 . 5) 혼자 가려고 해요 . 6) 반 친구하고 같이 가려고 해요 . 7) 삼겹살을 먹으려고 해요 . 8) 회를 먹으려고 해요 .

5. 2) 3 일 동안 부산에 있었어요 . 3) 일주일 동안 병원에 있었어요 . 4) 두 달 반 동안 한국말을 배웠어요 . 5) 10 년 동안 미국에서 살았어요 .

6. 2) 저는 여름 방학 동안 유럽 여행을 하려고 해요 . 3) 저는 이번 학기 동안 한국어를 열심히 공부하려고 해요 . 4) 저는 겨울 방학 동안 스키와 스노보드를 배우려고 해요 . 5) 저는 이번 연휴 동안 집에서 쉬려고 해요 .

## 10 과 2 항

1. 생략

2. 2) 머리가 아플 때 이 약을 드세요 . 3) 밥을 먹을 때 전화가 왔어요 . 4) 문을 열 때 조심하세요 . 5) 날씨가 너무 추울 때 학교에 가고 싶지 않아요 . 6) 좋아하는 음악을 들을 때 아주 행복해요 .

3. 2) 공부할 때 / 아르바이트할 때 / 날씨가 더울 때 힘들어요 . 3) 몸이 아플 때 / 고향 음식을 먹을 때 / 주말에 혼자 있을 때 가족을 보고 싶어요 . 4) 기분이 나쁠 때 / 비가 올 때 술을 마시고 싶어요 . 5) 친구가 결혼할 때 / 예쁜 아기를 볼 때 결혼하고 싶어요 . 6) 생략

4. 2) 한국에 있는 산 중에서 한라산이 제일 높아요 . 3) 우리 반 친구 중에서 영수 씨가 제일 키가 커요 . 4) 운동 중에서 축구를 제일 잘 해요 . 5) 고기 중에서 닭고기를 제일 자주 먹어요 .

5. 2) 가 : 지금까지 여행한 나라 중에서 어느 나라가 제일 좋았어요 ? 나 : 저는 스위스가 제일 좋았어요 . 3) 가 : 한국에서 만난 사람 중에서 누가 제일 친절했어요 ? 나 : 하숙집 아주머니가 제일 친절했어요 . 4) 가 : 지금까지 배운 외국어 중에서 어느 나라 말이 제일 어려웠어요 ? 나 : 한국어가 제일 어려웠어요 . 5) 가 : 지금까지 먹은 한식 중에서 뭐가 제일 맛있었어요 ? 나 : 불고기가 제일 맛있었어요 .

## 10 과 3 항

1. 생략

2.

| 기차표 | 호텔 | 일식집 | 콘서트 표 | 야구경기 표 | 병원 |
|---|---|---|---|---|---|
| 예매 | 예약 | 예약 | 예매 | 예매 | 예약 |

3. 2) 일주일에 한 번쯤 부모님께 전화를 해요 . 3) 일년에 네 번쯤 고향에 가요 . 4) 한 학기에 두 번쯤 시험을 봐요 . 5) 두 달에 한 번쯤 극장에 가요 . 6) 육 개월에 한 번쯤 여행을 해요 .

4. 2) 한 달에 한 번쯤 영화를 봐요 . 3) 한 달에 두 번쯤 등산을 해요 . 4) 일주일에 두 번쯤 영어를 공부해요 . 5) 하루에 두 시간쯤 영어를 공부해요 .

5. 2) 영화를 못 봤어요 . 3) 점심을 못 먹었어요 . 4) 생일 선물을 못 샀어요 . 5) 운동을 못 했어요 .

6. 2) 아니요 , 잡채를 못 만들어요 . 3) 네 , 러시아어를 할 수 있어요 . 4) 아니요 , 스키를 못 타요 . 5) 네 , 피아노를 칠 수 있어요 .

## 10 과 4 항

1.

| 등산 | 골프 | 스키 | 당구 | 축구 | 스노보드 |
|---|---|---|---|---|---|
| 하다 | 치다 | 타다 | 치다 | 하다 | 타다 |

| 탁구 | 자전거 | 야구 | 테니스 | 태권도 | 스케이트 |
|---|---|---|---|---|---|
| 치다 | 타다 | 하다 | 치다 | 하다 | 타다 |

2. 2) 세수를 하기 전에 이를 닦아요. 3) 화장을 하기 전에 옷을 입었어요. 4) 수업을 듣기 전에 예습을 했어요. 5) 청소를 하기 전에 창문을 여세요. 6) 영수 씨 집에 가기 전에 전화를 합시다.

3. 2) 회사에 가기 전에 아침을 먹어요. 3) 일을 하기 전에 커피를 마셔요. 4) 집에 오기 전에 운동을 해요. 5) 잠을 자기 전에 샤워를 해요.

4. 생략

5. 2) 요즘 텔레비전을 보지 못해요. 3) 저는 술을 잘 마시지 못해요. 4) 한글을 읽지 못해요. 5) 어제 친구를 만나지 못했어요. 6) 아직 음식을 다 만들지 못했어요.

6. 2) 아니요, 미나 씨는 기타를 치지 못해요. 3) 요코 씨가 프랑스어를 하지 못해요. 4) 아니요, 요코 씨는 골프를 치지 못해요. 5) 스키를 타지 못하는 사람은 제니 씨예요.

7. 2) 가 : 백화점에서 선물을 많이 샀어요?
　　 나 : 아니요, 많이 사지 못했어요.
　　 가 : 왜 많이 사지 못했어요?
　　 나 : 값이 비싸서 많이 사지 못했어요.
　 3) 가 : 어제 영화를 봤어요?
　　 나 : 아니요, 영화를 보지 못했어요.
　　 가 : 왜 영화를 보지 못했어요?
　　 나 : 표가 없어서 영화를 보지 못했어요.
　 4) 가 : 한국말을 잘 해요?
　　 나 : 아니요, 잘 하지 못해요.
　　 가 : 왜 잘 하지 못해요?
　　 나 : 열심히 공부하지 않아서 잘 하지 못해요.
　 5) 가 : 부모님께 자주 전화를 해요?
　　 나 : 아니요, 자주 전화를 하지 못해요.
　　 가 : 왜 자주 전화를 하지 못해요?
　　 나 : 바빠서 자주 전화를 하지 못해요.

## 10과 5항

1.

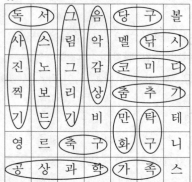

1) 취미 : 독서, 사진 찍기, 그림 그리기, 음악 감상, 낚시, 춤추기 2) 영화 : 가족 영화, 코미디 영화, 공상과학 영화, 만화 영화 3) 운동 : 스노보드, 당구, 축구, 탁구, 테니스

2. 2) 끝나면 3) 예매하세요. 4) 세웠어요. 5) 찍어 6) 편해요. 7) 예약하지

3. 2) 살으려고 → 살려고 3) 동안에 → 동안 4) 춤을 → 추울 5) 한국 중에서 → 한국에서 6) 제일 영화는 → 제일 재미있는 영화는 7) 한 달 두 번쯤 → 한 달에 두 번쯤 8) 못 숙제했어요. → 숙제를 못 했어요. 9) 집에 오는 전에 → 집에 오기 전에

4. 2) 가 : 고향에 돌아가기 전에 하고 싶은 일이 뭐예요? 나 : 고향에 돌아가기 전에 여행을 하고 싶어요. 3) 가 : 스키를 잘 타세요? 나 : 아니요, 스키를 잘 타지 못해요. 4) 가 : 지금까지 읽은 책 중에서 뭐가 제일 재미있었어요? 나 : 지금까지 읽은 책 중에서 '해리포터' 가 제일 재미있었어요. 5) 가 : 얼마 동안 한국어를 공부했어요? 나 : 6개월 동안 한국어를 공부했어요. 6) 가 : 한 달에 몇 번쯤 영화를 봐요? 나 : 한 달에 두 번쯤 영화를 봐요.

5. 2) 일주일 동안 3) 여행한 곳 중에서 4) 일 년에 5) 결혼하기 전에는 6) 못해요. 7) 돌아올 때

6. 1) ④　2) ③　3) ②

7. 2) 액션 3) 액션 4) 축구 5) 낚시 7) 아니요 8) 네 9) 아니요

8. 1) 골프 2) 동생과 같이 등산을 하려고 합니다. 3) ① ( O ) ② ( X ) ③ ( O ) ④ ( X ) ⑤ ( O )

9. 생략

10. 생략

### 쉼터 5

1. 우산 2. 건물 3. 요금 4. 사과 5. 산타할아버지 6. 시집 7. 앞치마 8. 양말 9. 구름 10. 수박

## 복습 문제 6 과 ~10 과

I . 1. 에서 2. 으로 3. 만 4. 에게 5. 와 , 과 6. 에서 , 까지 7. 나 8. 보다 9. 한테서 10. 동안 11. 에 , 쯤

II . 1. ③ 2. ② 3. ④ 4. ② 5. ①

III . 1. 글쎄요 . 2. 그래요 ? 3. 괜찮아요 . 4. 잠깐만요 . 5. 그럽시다 .

IV . 1. 저는 봄을 좋아하는데 수진 씨는 어느 계절을 좋아합니까 ? 2. 어제 편지를 써서 친구에게 보냈습니다 . 3. 날마다 잠을 자기 전에 샤워를 합니다 . 4. 오늘은 바쁘니까 내일 만납시다 . 5. 방학을 하면 어디에 가고 싶습니까 ? 6. 피곤하지만 숙제를 하고 자겠습니다 .

V .

1. 횡단보도를 건너서 오른쪽으로 가세요 .　( O )
　　　　　건너고　　　　　　　　　　　( )
2. 학생들이 공부해서 떠들지 마십시오 .　( )
　　　　　공부하니까　　　　　　　　　( O )
3. 김 선생님은 벌써 결혼해서 아이도 있어요 .　( O )
　　　　　결혼하고 있어서　　　　　　　　( )
4. 저는 부모님한테서 선물을 받았어요 .　( O )
　　　　　부모님께서　　　　　　　　　( )

5. 한국에서 제일 높은 산은 백두산이에요 .　( O )
　　한국 중에서　　　　　　　　　　　( )

VI . 주어진 단어를 알맞게 고쳐 쓰십시오 .

지난 일요일에 제임스 씨와 함께 월드컵 공원에 갔습니다 . 길을 잘 몰라서 여러 사람에게 물었습니다 . 일요일이어서 공원에는 사람들이 많았습니다 . 사진을 찍는 학생들 , 친구와 함께 노는 아이들 , 물건을 파는 사람들 …… . 우리는 배가 고파서 공원 안에 있는 가까운 식당에 갔습니다 . 우리는 김치찌개를 시켰습니다 . 조금 매웠지만 맛있었습니다 . 식당에서 나와서 우리는 하늘공원까지 걸었습니다 . 그리고 많은 이야기를 했습니다 . 우리는 나라와 말과 생각이 많이 달랐지만 좋은 친구가 됐습니다 . 하늘공원에 도착했을 때 하늘에서 하얀 눈이 내렸습니다 . 온 세상이 하얬습니다 .

VII . 1. 우리는 모두 다른 나라에서 왔습니다 . 2. 만나고 싶지 않은 사람이 있어요 ? 3. 재미있는 이야기를 듣고 싶습니다 . 4. 그 사람 전화번호를 아는 사람이 있어요 ? 5. 어제 배운 단어를 복습하세요 . 6. 내일 할 일이 많습니다 .

VIII . 1. 가 : 백화점에는 왜 가세요 ? 나 : 여자 친구 생일 선물을 사러 가요 . 2. 가 : 한국 생활이 어때요 ? 나 : 힘들지만 재미있어요 . 3. 가 : 우산을 빌려 드릴까요 ? 나 : 네 , 빌려 주세요 . 4. 가 : 어떤 남자가 좋아요 ? 나 : 친절하고 재미있는 남자가 좋아요 . 5. 가 : 길 좀 묻겠습니다 . 연세대학교가 어디에 있습니까 ? 나 : 길을 건너서 왼쪽으로 가십시오 . 6. 가 : 어제 산 옷을 왜 바꿨어요 ? 나 : 집에 와서 다시 입어 보니까 작아서 바꿨어요 . 7. 가 : 창문을 닫을까요 ? 나 : 아니요 , 더우니까 닫지 마세요 . 8. 가 : 이 일을 누가 하겠습니까 ? 나 : 제가 할게요 .

9. 가 : 신촌에서 남산까지 걸어서 갈 수 있어요? 나 : 아니요, 너무 멀어서 걸어서 갈 수 없어요. 10. 가 : 리에 씨, 수업 후에 같이 영화를 보러 갑시다. 나 : 수업 후에 약속이 있는데요. 11. 가 : 주말에 뭘 할 거예요? 나 : 집에서 쉴 거예요. 12. 가 : 지금 뭐해요? 나 : 제 방을 청소하고 있어요. 13. 가 : 왜 한국말을 배워요? 나 : 한국 친구와 이야기하려고 한국말을 배워요. 14. 가 : 왜 여자가 남자보다 더 오래 살아요? 나 : 여자가 남자보다 더 스트레스를 받지 않아서 오래 사는 것 같아요. 15. 가 : 세계에서 어느 산이 제일 높아요? 나 : 에베레스트 산이 제일 높아요. 16. 가 : 언제 술을 마시고 싶어요? 나 : 기분이 나쁘면 술을 마시고 싶어요. 17. 가 : 수영을 잘하세요? 나 : 아니요, 수영을 잘 못해요. 18. 가 : 언제 결혼할 거예요? 나 : 대학원을 졸업한 후에 결혼할 거예요.

## 십자말 풀이 2

| 1. 문 | 2. 자 | | 7. 취 | | 9. 한 | | 10. 소 | |
|---|---|---|---|---|---|---|---|---|
| | 전 | | 8. 미 | 역 | 국 | | 설 | |
| | 3. 거 | 4. 기 | | | 어 | | 11. 책 | 12. 방 |
| | | 5. 숙 | 제 | | | | 13. 학 | 14. 교 |
| 6. 여 | 행 | 사 | | | 19. 타 | | | 수 |
| | | 15. 사 | 랑 | 16. 하 | 다 | | | |
| | 22. 운 | | | 숙 | | | | |
| | 동 | | 17. 집 | 18. 안 | 일 | | 20. 세 | |
| 23. 백 | 화 | 24. 점 | | 개 | | 21. 과 | 일 | |
| | 25. 원 | 룸 | | | | | | |